답은 당신 앞에 있습니다.

감사의 마음을 담아.

여덟 단어

인생을 대하는 우리의 자세

여덟 단어

박웅현 지음

북하우스

나를 무시하지 마라. 自尊.
모든 세상은 폭탄이다.
다 떠나다. 살아온 사정, 모두 똑똑.
Best one, only one.
"그럼에도 불구하고…"
모든 인간은 단백하게
불안하고하다.

인생을 대하는 우리의 자세

박웅현입니다. 2012년 10월부터 두 달여 간 이십여 명의 20,30대 들과 함께 만나 젊음에 필요한, 아니 살아가면서 꼭 생각해봐야 하는 여덟 가지 키워드에 대해서 이야기를 해보았습니다. 그리고 그 시간의 결과물로 이렇게 또 한 권의 책을 묶어내게 되었습니다.

『책은 도끼다』 출간 이후 주로 인문학에 대한 강의를 많이 해왔는데, 강의를 하다 보니 책 이야기와 더불어 삶에 대한 태도, 방향을 말하지 않을 수 없었습니다. 책을 읽는 가장 큰 이유 중 하나가 좀더 올바른 시각으로 삶을 대하는 것이기 때문입니다. 그러다 보니 인문학적인 삶의 태도에 대해 구체적으로 이야기할 수 있는 자리가 생겼습니다. 고민이 많았습니다만 제가 딸아이에게 해주었던, 혹은 해주고 싶은 이야기를 들려드리기로 했습니다.

제가 강의에서 이야기했던 여덟 개의 키워드는 '자존, 본질, 고전, 견(見), 현재, 권위, 소통, 인생'입니다. 여덟 개로 쪼개놨지만 모든 단어는 결국 연결이 되면서 하나의 방향으로 나갈 겁니다. 귀 기울여 주시되 큰 기대는 하지 않길 바랍니다. 인생은 강의 몇 번, 책 몇 권으로 변하지 않으니까요. 만약 강의 몇 번으로 여러분의 인생을 정리해주겠다는 사람이 있다면 의심해봐야 합니다. 그런 일은 절대 일어나지 않기 때문입니다. 단언컨대 이 여덟 번의 강의도 여러분 인생에 큰 영향을 미치지는 않을 겁니다. 그럼에도 불구하고 제가 이야기를 시작하는 이유는, 여러분과 이 여덟 가지 단어에 대해 함께 나누고 생각해보고 싶기 때문입니다.

頓悟漸修

돈오점수, 불교용어지요. 돈오(頓悟), 갑작스럽게 깨닫고 그 깨달은 바를 점수(漸修), 점차적으로 수행해 가다, 라는 뜻입니다. 제가 아주 좋아하는 말입니다. 돈오돈수, 점오점수, 점오돈수 여러 가지가 있지만 이 여덟 번의 시간이 여러분에게 돈오점수 할 수 있는 계기가 되었으면 합니다. 소나기가 아니라 가랑비 같은 시간이 되어 천천히 젖어 들었으면 좋겠습니다. 단 제 이야기가 끝나고 받아들일 수 있는 것들은 받아들이고 짓밟고 갈 게 있다면 짓밟으면서, 스스로 생각을 정리하고 삶의 가치를 바로 세우기 바랍니다. 우리 인생은 몇 번의 강의와 몇 권의 책으로 바뀔 만큼 시시하지 않습니다.

황지우 시인이 '개미 날개만 한 지식으로 화엄창천을 날아다니는구나'라고 했는데, 딱 저를 두고 하는 말 같습니다. 모쪼록 부족하나마 이 시간이 여러분의 삶에 돈오의 시간이 되었으면 합니다. 저도 그것을 목표로 이야기를 시작하도록 하겠습니다.

2013년 봄, 박웅현

목차

自尊

1강

자존

당신 안의 별을 찾으셨나요?

自尊 : 어느 후배의 질문
        "아이를 어떻게..."
    얼마쯤 고민 후 한 말.
풀빵을 주어요.
그런데 우리 나라 교육은
        아이들 일게 하는데
상자 속 내어 주기. (뉴욕)
아이들 보면 눈치 나는 보면 중심
눈치를 본다 - 방송심으로 생각한다.
- 내 중심을 잃다 - 힘을 잃다.
        (개그맨 이병진 ..2)
그런데 나는 생각한다 힘이 세다
  Be Yourself.
모든 인간은 완치하게 불완전하다.
외로움 때가 멀쩡하고 끄 없다
다 똑같다. 나랑께. 나는 유니크하고
강력하고 또 한 사람.
이 답은 2듣에 또 상통점을
지키는. 주변을 볼 것.
마치 시장. 확 보이고, 나에게는

없고, 하찮지만, 굳이 주변의
돌이 있며 ... 그 방면
나는, 주변을 무시마라
모든 사람을 똑똑이다
Best one, Only one
환경, 인물, 진도이를.
이 강의 끝나고 파프닉 가라
장미에 서보라.
내 주면에 대로 있다

"팀장님, 아이에게 무엇을 가르쳐야 아이가 행복해질 수 있을까요?"

어느 날 다섯 살 아들을 둔 여자 후배가 술 한잔하는 자리에서 제법 진지한 얼굴로 묻더군요. 갑작스러운 질문에 아무 생각이 나지 않아서 "글쎄"라고 답은 해놓고 술잔을 앞에 두고 고민을 해봤죠. 어떤 것을 가르쳐야 아이가 행복해질 수 있을까? 행복한 삶을 살기 위해 무엇이 가장 중요할까? 다행히 그 술자리가 끝나기 전에 제 자신도 납득할 만한 답이 떠올랐습니다. 행복한 삶의 기초가 되는 것은 바로 '자존(自尊)'이라는 생각이 들었습니다. 그래서 후배에게 이야기해줬습니다.

"아까 네가 질문한 것 말인데, 딱 하나를 꼽으라면 나는 자존을 선택하겠어. 이 세상에 중요한 가치가 많지만 그중에서도 자존이 제일 기본이라고 생각해. 스스로를 존중하는 마음, 이게 있으면 어떤 상황에 처해도 행복할 수 있지 않을까?"

자존(自尊), 스스로 자(自)에 중할 존(尊)이죠. 나를 중히 여기는 것. 이게 있는 것과 없는 것의 차이는 어마어마합니다. 지금부터 그 차이를 입증해보겠습니다.

지금처럼 찬바람이 불기 시작하면 전에 살던 집 근처에 있는 황가네 호떡집의 사장님이 생각납니다. 한 개에 5백 원, 2천 원에 다섯 개 주는데 아주 맛있어요. 이곳 사장님의 표정은 언제나 예외 없이 정말 좋았습니다. 자기 일을 정말 좋아서 열심히 한다는 느낌이었습니다. "어서 오세요!"라는 이 첫마디부터 활기가 넘쳤죠. 손님이 많든 적든 늘 한결같이 말입니다. 저는 그 얼굴이 좋았습니다. 추운 겨울에 호떡을 구우면서 그런 표정 짓기 쉽지 않을 겁니다. 그런데 그 사장님은 자기 일에 만족하는 게 보였습니다. 나, 지금 나의 위치, 내가 하고 있는 일, 여기에 만족하는 사람들은 표정이 다른데 그 사장님 표정이 딱 그랬습니다. 그래서 호떡을 살 때마다 이 집 사장님은 정말 행복한 사람이라고 생각했죠.

자존을 이야기하면서 갑자기 웬 호떡집 사장님 이야기냐고요? 그 이유는 자존이 있는 사람은 풀빵을 구워도 행복하고, 자존이 없는 사람은 백 억을 벌어도 자살할 수 있다는 이야기를 하고 싶어서입니다. 매우 극단적인 비교지만 사실입니다. 이런 말이 있습니다. '아모르 파티 (Amor fati)', 네 운명을 사랑하라는 의미죠. 자신의 운명을 사랑하는 사람과 사랑하지 않는 사람의 결말은 정반대일 수밖에 없습니다.

메멘토 모리, 아모르 파티

지난여름 회사 일로 파리에 갔을 때, 일정을 마치고 잠깐의 틈이 생겨 몽파르나스 묘지에 다녀왔습니다. 모파상, 사르트르, 보들레르 등 워낙 많은 유명인이 잠들어 있는 곳이라 다 볼 수는 없고, 그중에서 사르트르를 찾아 갔죠. 보부아르(Simone de Beauvoir, 1908~1986. 프랑스의 여성 작가이자 사상가, 사회운동가. 〈초청받은 여인〉〈타인의 피〉〈제 2의 성〉 등의 작품으로 프랑스에서 가장 뛰어난 여류 문학가 중 한 사람으로 인정받고 있다. 사르트르와 연인이자 지적 동반자로 오랜 세월을 함께 보냈고, 계약 결혼과 자유로운 연인 관계를 유지하면서 각자 다른 애인들과 사귀기도 했다)와 함께 묻혀 있는 사르트르 무덤 앞에서 이곳을 다녀간 전 세계 사람들의 흔적을 발견할 수 있었어요. 여정에 필요했던 지하철 티켓이나 몰래 쓴 편지 같은 것들이었어요. 그곳까지 찾아온 산 사람들의 열정이 죽음 앞에 고스란히 놓여 있었습니다.

삶과 죽음이 공존하고 있는 경이로운 풍경 앞을 서성이다 저의 책 『책은 도끼다』에 '나의 나이 어린 스승'이라고 언급했던 후배 이원홍에게 사르트르 묘지 사진과 함께 메시지를 보냈습니다. 'Memento mori'라고. 죽음을 기억하라는 뜻의 라틴어입니다. 서양의 명화 중에는 해골이 있는 그림이 꽤 많습니다. 메멘토 모리, 삶과 동시에 죽음을 기억하자는 것이죠. 이 메시지를 받은 나의 나이 어린 스승은 바로 'Amor fati'라고 답장을 보내왔습니다.

메멘토 모리와 아모르 파티. '죽음을 기억하라'와 '운명을 사랑하라'는 죽음과 삶이라는 상반된 의미의 조합이지만 결국 같은 방향을 바라봅

아드리안 반 위흐레흐트, 〈Vanitas-Still Life with Bouquet and Skull〉, 1643년, 캔버스에 유채,
67×86 cm, 개인소장

짧은 생의 덧없음과 변화를 주제로 하는 그림을 '바니타스(Vanitas)'화라고 한다. 바니타스는 모든 정
물화에 공통으로 담긴 메시지로 기독교 성서 중 전도서에 쓰인 '바니타스 바니타툼 옴니아 바니타스
(Vanitas vanitatum omnia vanitas): 헛되고 헛되도다 모든 것이 헛되도다'의 글귀의 첫 단어를 따온 것이
다. 위의 아드리안 반 위흐레흐트의 그림에서도 그림 아래쪽의 회중시계와 해골 뒤쪽에 숨겨진 모래시
계는 다가오는 죽음을, 꽃병에 화려한 꽃 중에 시들어가는 몇 송이는 인간의 젊음이 유한함을, 해골은
필연적인 죽음을, 담뱃대는 연기처럼 사라지는 영광의 무상함을 뜻한다고 한다.

니다. 내가 언젠가 죽을 것이니 살아 있는 지금 이 순간을 소중히 하라는 것이고, 그러니 지금 네가 처한 너의 운명을 사랑하라는 것이죠.

저는 이런 태도가 자존 같습니다. 어떤 위치에 있건, 어떤 운명이건 스스로 자기 자신을 존중하는 것. 사실 많은 사람들이 자존을 말합니다. 그런데 진짜 자존을 지키며 사는 사람들은 드뭅니다. 도대체 이 자존이라는 마음가짐을 갖는 것이 왜 그렇게 어려울까요?

나의 기준점은 어디에 있는가

자존감을 가지는 데 가장 방해가 되는 요인은 아마 우리 교육이 아닐까 싶습니다. 우리나라 교육은 아이들 각자가 가지고 있는 것에 기준을 두고 그것을 끄집어 내기보다 기준점을 바깥에 찍죠. 명문 중학교, 특목고, 좋은 대학, 좋은 직장, 엄친아, 엄친딸을 따라가는 게 우리 교육입니다. 다시 말해 판단의 기준점이 '나'가 아니라 엄마 친구의 아들과 딸이란 말입니다. 이건 마치 고소영에게 너는 왜 김태희처럼 생기지 않았냐고 하는 것과 같아요. 고소영은 김태희가 아니죠. 고소영의 매력은 고소영일 때 있는 겁니다. 박웅현의 매력도 박웅현일 때 있는 것이지, 제 어머니 친구분의 아들을 따라 한다고 나오지 않습니다. 그런데 무턱대고 친구의 아들, 딸처럼 되라고 하니 우리 각자 개인의 '아모르 파티'는 어쩌라는 겁니까?

이렇게 교육받은 우리는 '다름'을 두려워해요. 기준점이 되는 누군가와 다른 내 모습을 상상하지 못합니다. 다 같이 몰려가는 대열에 합류

하지 못하면 불안해 합니다. 저마다 생김새도 다르고 위치도 다르고 삶의 지향점도 다른데 똑같이 살아야 마음이 편해요. 다른 사람은 어떻게 사는지, 나도 저 사람과 발맞추고 있는지 끊임없이 눈치를 보고 뒤돌아 봅니다. 말 그대로 '각자'의 인생인데, 뚜벅뚜벅 내 길을 걸어가야 하는데 그게 용납되지 않아요. 그렇게 교육을 받아온 겁니다. 생각해보세요. 우리는 나의 '자존'을 찾는 것보다는 바깥의 '눈치'를 보는 것이 습관이 되어 있지는 않은지.

한 재미교포 후배의 이야기를 해드릴게요. 이 친구가 처음 한국에 왔을 때 고국에 온 감상을 물었더니 '무섭다'고 하더군요. 이유를 궁금해하니 사람들이 다 똑같은 모습을 하고 있어서 그렇대요. 사람들이 비슷한 헤어스타일을 하고 비슷한 스타일의 옷을 입고, 대부분의 여자들은 당시 한창 유행하던 부츠를 신고 가는 걸 보고 있자니 마치 어떤 세트에서 나온 사람들 같아서 겁이 난다는 이야기였습니다. 저도 비슷한 경험이 있기에 그 친구가 느낀 두려움이 지나친 생각이라고 치부할 수는 없었습니다.

저는 어느 대기업 주차장에 들어섰다가 순간적으로 공포를 느꼈던 경험이 있습니다. 큰 기업은 임원이 50명이 넘는데요. 상무급 임원에게는 똑같은 차가 지급됩니다. 같은 직급인데 누구는 A라는 차를 주고 누구는 B라는 차를 줄 수가 없는 거죠. 난리가 날 테니까요. 아마 회사 다니시는 분들은 알 겁니다. 그날 그 주차장에도 시커먼 그랜저 50대가 줄지어 주차돼 있더라고요. 섬뜩했습니다.

이런 사회에서 자존을 찾을 수 있을까요? 남과 다르면 알 수 없는 불안감이 밀려드는 환경에서 자존감을 가지고 살려면 스스로 부단히 노력해야 합니다. 자존감이 없으면 서울대를 다닌다고 해도 행복할 수 없어요. 백 억을 번다고 다 행복하기만 하지 않을 겁니다. 중요한 건 얼마나 좋은 학벌을 가지고 있느냐, 얼마나 많은 돈을 버느냐가 아닙니다. 기준점을 바깥에 두고 남을 따라가느냐, 아니면 안에 두고 나를 존중하느냐일 겁니다.

1998년에 제가 여러 집에 이롭게 쓰일 책을 썼는데요. 『나는 뉴욕을 질투한다』라는 책입니다. 1996년에 좋은 기회로 2년간 뉴욕에서 공부를 하고 온 뒤에 쓴 책인데 가격도 적당하고 두께도 얇아서 냄비 받침으로 아주 딱이었죠. (웃음) 아마 지금도 몇몇 지인들의 집에서 냄비 받침으로 제 역할을 잘 하고 있을 겁니다. 다음은 제가 그 책에 썼던 내용입니다.

「여자는 꼭 여자답게 걸어야 하는가」

만약 오른쪽 왼쪽을 구분하는 기능의 뇌가 따로 있다면, 나는 분명 그 부분을 손상당한 사람이다. 특별히 신경을 쓰지 않는 한 운전하다가 오른쪽으로 가라고 하면 어김없이 왼쪽으로 가고, 왼쪽으로 가라고 하면 어김없이 오른쪽으로 방향을 잡는다. 그래서 집사람은 오른쪽 왼쪽이라는 말 대신에 '밥 먹는 손 쪽' '밥 먹지 않는 손 쪽'이라는 보다 손쉬운 지침을 이용하지만, 그것도 그리 큰 도움이 되지 않는다. 오른쪽 왼쪽뿐만이 아니다. 지하도에 한번 들어가면 서너 번을 오르내려야 가고자 하는 출구를 찾을 수 있을 정도로 방향 감각이 무디다.

지도와 주소만 있으면 어디든 찾아갈 수 있을 정도로 길이 잘되어 있다는 미국이지만 그래도 나 같은 사람에게 길 찾기란 원천적으로 '미로 찾기 게임'. 당연히 초행길에서는 두세 번 정도 낯선 사람의 신세를 지게 된다. 한 가지 다행스러운 일은 길을 알려주는 거의 모든 사람들이 친절하고 아주 정확하게 방향을 이야기해준다는 점이다. 미국 사람들의 방향 설명은 마치 머릿속에 지도를 넣고 다니는 사람들처럼 믿기지 않을 정도로 정확하다. 예를 들면, "1.5마일 정도 가다가 두 번째 사거리에서 좌회전을 하고 세 개의 스톱 사인을 지난 다음에 우회전을 해서 신호등이 있는 사거리에서 다시 좌회전을 하면 된다"라고 말해줄 정도. 종로에서 시청이 어디냐고 물어보면 "저어~기"라고 말하면서 손가락으로 가리키는 우리와는 무척 다른 두뇌 구조를 가지고 있다.

어느 대학 교수는 이런 미국 사람과 한국 사람의 차이를 이질 문화와 동질 문화라는 말로 해석한다. 미국 사람들은 기본적으로 '너와 나는 생각하는 바가 다르다'는 전제에서 출발하기 때문에 가능한 한 객관적인 정보를 준다. 반면, 우리는 '너와 내가 생각하는 바가 비슷하다'는 전제에서 출발한다. 내가 "저어~기"라고 이야기하면 듣는 사람도 "음, 저기를 이야기하는구나!"라고 알아들을 것이라는 전제에서 시작한다는 이야기. 미국이 인종 전시장이라는 말을 생각해보면, 우리가 세계에서 흔치 않은 단일 민족 국가라는 점을 고려할 때 공감이 가는 설명이다.

이질 문화를 가장 단적으로 느낄 수 있는 것은 역시 거리 풍경이다. 거리에 지나가는 사람들의 피부색이 다르고 입는 옷이 다르고 하는 말이 다르다. 그것뿐만 아니다. 너와 내가 다른 사회에서는 다른 사람의 시선에 신경을 쓸 일이 별로 없다. 당신이 어떻게 생각하든, 내가 사는 방식은 이런 것이라고 생각하면 그뿐. 그래서 그런지 뉴욕 거리를 걷다 보면, 별의별 이상한 사람들을 다 보게 된다. 한겨울에 반팔 셔츠 차림으로 씩씩하게 걸어 다니는 사람, 깨끗한 정장 차림에 롤러스케이트를 타고 찻길을 휘젓고 다니는 사람, 머리 한쪽만 빡빡 깎고 다니는 사람,

헤드폰을 끼고 혼자 중얼거리면서 다니는 사람, 입술에 피어싱을 하고 다니는 사람, 여자처럼 화장을 하고 다니는 남자, 남자처럼 머리를 깎고 다니는 여자. 우리나라에서라면 당연히 사람들의 시선을 한번쯤 받을 만한 사람들이 길거리에 가득하다.

(…)

이곳에서 학교를 마치고 한국 기업체에 취직, 서울에서 삼 년 정도 생활해본 한 교포 학생은 나의 이런 경험과 정반대되는 경험을 이야기한다. 우리나라 사람들은 나이와 성별에 따라 제각각 딱 맞는 상자를 만들고 모두들 그 상자 속에서 살아가는 것 같다는 이야기.

예를 들자면, 우리 나라에는 이십 대 후반의 여자들이 들어가는 상자가 있다. 그 상자 속에는 어딘가 결혼이라는 단어가 들어가 있을 것이고, 여자다워야 한다는 생각이 들어가 있을 것이다. 우리 나라 사람들이 추구하는 오십 대 남자의 상자 속에는 회사 복도에서 만나는 사람들로부터 인사를 받을 만한 위치에 있어야 하고 주말이면 골프를 치러 나가야 한다는 생각이 들어가 있다. 삼십 대 후반의 남자라면, 회사에서 과장쯤 되어 있어야 하고, 부인과 아이들 한두 명쯤—더 완벽하게는 남자 아이 하나 여자 아이 하나—이 있는 집안의 가장이어야 한다. 만약 아이들만 있거나, 부인만 있다면 주위 사람들로부터 호기심 내지 걱정에 찬 시선을 받게 된다. 모두들 일정한 틀을 만들고 그 틀의 형태에 자신을 맞추며 살아가고 있다는 느낌……

물론 그 틀은 대부분 가장 보편적이고 합당한 기준으로 짜인 틀일 것이고, 그 틀을 통해 각 개인이 행복을 찾을 수 있고 사회가 안정을 찾는다는 사실을 부인할 수 없을 것이다. 하지만 또 한편으로 생각해보면 틀 속에 산다는 것은 틀 밖의 세상을 경험하지 못한다는 말이 아닐까? 그래서 그만큼의 가능성을 빼앗긴다는 말이 아닐까? 사회면 기삿거리가 되지 않고는 이십 대 나이에 대학 교수가 되기도 힘들고, 육십 대 나이에 대학생이 되기도 힘든 사회에서는 그 사람들이 던져줄 수 있는 새로운 생각들을 영원히 보지 못하는 것이 아닐까?

"여자가 왜 그렇게 드세?"라는 말이 심심찮게 들리는 사회는 그 사회의 인적 자원의 절반이 가질 수 있는 힘을 포기해버리는 것이 아닐까?

가끔은 틀을 벗어난 생각을 해볼 필요가 있을 것 같다. 성공한 사람들은 꼭 승용차 뒷좌석에 앉아야 하는가? 대학생은 꼭 이십 대여야 하는가? 윗사람은 꼭 권위를 지켜야만 하는가? 여자는 꼭 여자답게 걸어야 하는가?

지금이라고 그 상자가 없을까요? 아니죠. 우리는 아직도 각자의 상자에서 살고 있습니다. 이십 대가 살아야 할 상자, 삼십 대가 살아야 할 상자, 사십 대가 살아야 할 상자. 그 상자의 바깥으로 벗어나면 매년 명절마다 고문을 당하고, 주변 사람들로부터 측은하다는 이야기를 듣고, 실패한 인생이라고 손가락질 받죠. 다른 것을 인정하지 못하는 현실에서 자존을 싹 틔우기란 여간 어려운 게 아닙니다.

미국 이야기가 나온 김에 미국과 한국 두 나라에서 교육받은 분의 경험을 들어봅시다. 얼마 전 한 신문사 칼럼을 쓰기 위해 세계적인 설치미술작가 서도호 씨를 인터뷰했어요. 여러 문답이 오갔는데, 그중 창의성의 관점에서 한국과 미국의 두 문화를 비교해보면 어떻느냐고 물었어요. 서도호 씨는 이런 이야기를 하더군요.

"리즈디(The Rhode Island School of Design)에서의 처음 수업이 '사진1'이었어요. 기초 사진 강의로 첫 수업을 시작할 줄 알았는데 종이와 크레용을 나눠주면서 두 명씩 짝을 지어 뭘 하든 재주껏 커뮤니케이션을 하라는 거예요. 단, 말을 하면 안 된다는 조건으로요. 제 짝은 화가 나서 종이를 바닥에 놓고 밟는 퍼포먼스를 했고 저는 구멍을 뚫은 뒤 뒷장에 그림을 그렸습니다. 사진 수업이라고 하기에는 아주 신선하고 충격적이었죠. 나중에 선생님 말씀이 우리는 시각언어로 사람들과 소통하는 사람들이라서 그렇게 했다는 거예요.

그런 수업이 뇌를 말랑말랑하게 마사지해준다고 말하고 싶어요. 한국에서 수업을 할 때는 조교가 출석체크를 한 뒤 선생님이 와서 학생들의 그림을 보고 "여기 좀 지워봐, 눌러봐, 살려봐"라고 하면 "네, 선생님" 하면서 하라는 대로 하고 검토를 받는 식이었죠. 결국 창의적인 사람을 만드는 건 교육의 문제라는 생각을 하게 됐습니다."

－경향신문, 「'집 속의 집'에 왜 스티브 잡스가 떠오를까」 (2012. 06.01 한윤정 기자) 중에서

결국 그는 미국 교육은 '네 안에 있는 것은 무엇인가'를 궁금해 한다면 한국 교육은 '네 안에 무엇을 넣어야 할 것인가'를 고민하는 것이 가장 큰 차이라고 했습니다. 바깥에 기준점을 세워놓고 맞추는 것이 아니라 사람 안에 있는 고유의 무엇을 끌어내는 교육을 이야기한 것이죠.

제가 뉴욕에서 공부할 때 느낀 것도 마찬가지였습니다. 교수들은 학생들에게 무언가를 집어 넣으려 하지 않고 뽑아내려고 애썼습니다. 서른여섯에 사회생활을 하던 아저씨가 책상에 앉아 처음으로 디자인을 배우는데 주뼛댈 틈도 없이 교수의 칭찬이 쏟아졌습니다. 저뿐만이 아니라 모든 학생들이 해온 숙제를 벽에 쭉 붙여놓고 좋은 점을 끊임없이

이야기하는 교수는 마치 칭찬을 하지 못해 안달 난 사람 같아 보이기도 했습니다. 게다가 그 뒤에는 왜 좋았는지 제출한 작품에 대해 해석해주고 자세히 설명을 해줬습니다. 그리고 학생이 부연 설명을 하면 그 말을 북돋워주더군요. 그러니 학생들은 과제를 하면서도 늘 신이 났고, 서로 앞자리에 앉으려고 할 수밖에요.

그런데 우리 교육은 과연 어떤가요? 내 안에 있는 걸 존중하게 해주는 교육이었을까요? 그렇지 않죠. 우리는 늘 우리에게 없는 것에 대해 지적 받고 그것을 가져야 한다고 교육 받아왔어요. 칭찬은 자존감을 키워주는데, 가진 것에 대한 칭찬이 아닌 갖지 못한 것에 대한 질타는 눈치를 자라게 합니다. 중심점을 바깥에 놓고 눈치 보며 바깥을 살핍니다. 자존은 중심점을 안에 찍고 그것을 향해 나아가는 겁니다.

얼마 전 광고회사 CD(Creative Director)인 후배가 다른 회사로 가기 위한 면접을 앞두고 찾아왔습니다. 면접을 보러 가야 하는데 무척 떨린다며 바짝 긴장한 모습이었습니다. 저는 마음가짐을 바꾸라고 충고해줬습니다. "회사가 너를 면접하는 동시에 너 또한 그 회사를 면접해야 해. 회사가 날 위해 뭘 해줄 수 있는지, 너라는 그릇을 수용할 수 있는 회사인지 알아야 하지 않아? 너를 채용하는 건 회사에서 은혜를 베푸는 게 아니지. 회사는 사람이 필요하고, 사람도 회사가 필요한 거니까. 물론 수요와 공급의 입장에서 회사가 강자의 위치에 있지만, 그래도 거기서 이겨내기 위해서는 너의 주장을 가지고 가야 해"라고 말입니다.

또 다른 예를 들어볼게요. 제가 일하고 있는 광고회사 TBWA에 '주니어보드'라는 프로그램이 있습니다. 광고에 관심 있는 대학생들을 대상으로 하는 '예비 광고인 실무 참여 프로그램'으로 일 년에 두 번 기회가 주어집니다. 업계에서 꽤 유명한 프로그램인데, 능력이 좋은 친구들이 정말 많이 지원을 해서 들어오기가 무척 어렵습니다. 그런데 한번은 제가 어디에선가 강연을 하고 나오는 길에 젊은 친구가 씩씩하게 다가오더니 주니어보드에 지원했다며 인사를 하더군요. 그러고는 아주 당당하게 "TBWA에서는 어떤 사람을 원합니까?" 이렇게 물어요. 그래서 대답했습니다. "TBWA가 어떤 사람을 원하는지 묻지 말고, 네가 가지고 있는 걸 보여달라"고요. 바깥이 아니라 안에 점을 찍으라는 이야기였죠.

만약 저라면 주니어보드가 되기 위해 작년 시험 문제에서 방향을 찾지 않을 거예요. 제가 가진 걸 보여주고, 주목을 받으려고 노력할 거예요. 사회는 점점 이런 방향으로 변하고 있어요. 그래야만 하고요. 그렇게 변하는데 우리들의 한발 한발이 다 기여할 거라고 믿어요. 그러니 바깥이 아닌 안에 점을 찍고 나의 자존을 먼저 세우세요. 자신 없다는 분도 있을 겁니다. 과연 내가 자존을 이야기하고 내 주장을 펼칠 만큼 대단한 사람인가 불안해지겠죠. 저도 그러니까요. 그런데 말이죠, 우리는 우리가 생각하는 것보다 힘이 세고 단단한 사람들입니다.

내 마음속의 점들을 연결하면 별이 된다

정신과전문의 정혜신 박사는 "모든 사람은 완벽하게 불완전하다"라고 했습니다. 맞습니다. 완벽한 인간은 없어요. 우리나라 최고 기업의 총수, 최고 대학의 총장, 대통령까지도 완벽한 사람은 없습니다. 모두 불완전해요. 다만 그들의 직책이나 직위 때문에 완벽해 보일 뿐이죠.

그들은 완전한 면만 부각이 되는데 대부분의 사람들은 불완전한 면만 두드러져 보이기 때문에 차이가 나 보이는 것뿐입니다. 누구나 단점은 많습니다. 저도 그렇고요. 하지만 세상에 태어나 살아남은 유기체들인데 어떻게 단점만 있겠습니까? 분명히 장점도 있죠. 그러니 내가 가진 장점을 보고 인정해줘야 합니다. 제가 좋아하는 부사, '그럼에도 불구하고', 나를 존중해야 하는 것이죠. 단점을 인정하되 그것이 나를 지배하지 않게 해야 합니다.

그러니 못났다고 외로워하지도 마세요. 모든 인간은 다 못났고 완벽하게 불완전하니까. 존경하는 교수님, 부모님들도 지키지 못하는 약속이 수두룩하고, 결심했다가 깨기를 반복하는 '사람'입니다. 자꾸 실수하고 조금 모자란 것 같아도 본인을 믿으세요. 실수했다고 포기하지 마시고, 돈오(頓悟)한 다음 점수(漸修)하면 됩니다. 그러면 인생의 새로운 문이 열리게 되어 있습니다.

믿기 어려울 수도 있으니 이 이야기를 입증해줄 한 사람을 소개할까 합니다. 사학자 강판권 씨가 그 주인공입니다. 그는 CBS 정혜윤 PD의 책 『여행, 혹은 여행처럼』에서 그가 만난 이들 중 한 사람인데요. 오늘 이야기할 '자존'과 꼭 들어맞는 분이라 책에서 발췌해 소개하려고 합니다.

우선 강판권 씨는 『나무열전』이라는 책을 쓴 나무 박사님입니다. 이 책은 나무를 인문적으로 해석한 책인데 참 좋습니다. 정혜윤 씨의 책을 통해 『나무열전』과 강판권 씨의 생애를 알게 됐는데요. 강판권 씨는 말씀 드렸듯 성공한 학자입니다. 지금부터 성공하기까지 그의 삶을 따라가 보겠습니다.

강판권 씨는 초등학교 때 추운 겨울이면 오전에 수업하고 오후에는 학생들이 나무를 해다가 난로를 때면서 학교를 다녀야 했던 경상도의 어느 깡촌에 살았다고 합니다. 새벽에 지게를 지고 나무를 하러 다녔고, 4킬로미터 정도는 걸어 다녔으며, 실업계인 종합고등학교에 진학했습니다. 그리고 계명대 사학과에 들어갑니다. 사학에 뜻이 있어서가 아니라 '원서를 낼 때 사학과 줄이 제일 짧았기 때문'이었습니다. 사학에 원대한 꿈이 있었던 게 아닌지라 공부가 썩 재미있지 않았다고 합니다.

대학 때 그가 빠져 있던 것은 클래식 음악이었다고 합니다. 사실 그 시절 그에게 음악이라면 트로트가 최고였을 때였는데 논일 할 때 논 가운데에 막대기를 꽂고 라디오를 틀어놓고 유행가를 들으며 일을 하고는 했답니다. 그런데 어느 날 큰형이 축음기를 사왔는데 같이 가지고 온 유행가수 LP 몇 장 사이에 베토벤의 음반이 한 장 껴 있던 겁니다. 남진, 태진아만 알던 그가 클래식에 빠지게 된 순간입니다. 그 후에 강판권 씨는 오케스트라 동아리에 들어가 음대 소강당에서 클래식 음악을 들었대요. 클래식 음악이 그렇게 좋았답니다. 공부보다 음악이 좋았던 그는 기자가 되고 싶었지만 지방대 사학과 출신의 언론고시생은 번번이 낙방을 하고 맙니다.

그는 결국 다른 곳에 취직을 하기로 하는데 그조차 마음대로 되지 않았습니다. 그리고 정말 어쩔 수 없어서, 그의 말대로라면 죽지 못해 대학원에 진학을 하죠. 대학원에 들어갔으니 학위 논문을 써야 하는데 주제를 '양모 운동 당시 이홍장의 외교정책'에 대한 것으로 잡았습니다. 하지만 외교정책과 관련된 논문이라 영어, 프랑스어, 러시아어로 되어 있는 외교문서를 읽지 않으면 논문을 쓸 수 없었습니다. 한계에 부딪히죠. 자 보십시오. 우리가 사는 것과 많이 다른가요? 큰 차이가 있습니까?

더 뒤따라가 보겠습니다. 논문을 쓰지 못한 강판권 씨는 주제를 바꾸기로 합니다. 갑자기 본인이 촌놈이라는 게 생각났다고 합니다. 촌놈이니 농업에 대해서는 잘할 수 있을 거 같아서 논문 주제를 '중국의 농업사'로 바꿨답니다.

어때요? 강판권 씨는 여기서부터 이전과 다른 인생을 살기 시작하는 겁니다. '촌놈'이라는 것은 자기 안을 들여다봤기 때문에 발견할 수 있는 것이었습니다. 논문의 주제를 바꾸고 신이 난 그는 공부가 재미있어서 10년 동안 도시락을 두 개씩 싸 가지고 다니면서 공부를 했습니다. 1995년에 주제를 바꾼 논문은 1999년 8월에 마침내 완성됐고, 그는 박사 학위를 받습니다. 그렇다면 앞으로 그의 인생은 쉽게 풀렸을까요? 아니었습니다. 공부하는 동안 빚은 쌓였고 대학교수 자리를 얻는 것도 요원했죠. 중 · 고등학교 교사 자리도 쉽게 나지 않았습니다. 결국 박사 학위를 받고도 일을 구하지 못한 그는 일 년간 팔공산을 오르며 소설을 쓸까 시를 쓸까 별별 궁리를 다 했다고 합니다.

그러던 어느 날 서점에서 『신갈나무투쟁기』라는 책을 발견합니다. 자신의 전공과 취업에 아무 상관 없이 우연히 펼친 책인데 재미있었대요. 그런데 '나무라면 나도' 라는 생각이 들었답니다. 그리고 다음 날부터 계명대학교 안에 있는 나무부터 공부하기로 마음 먹습니다. 나무 도감을 가지고 다니면서 나무 하나하나를 비교하고, 조경을 담당하는 행정직원에게 정보를 얻으면서 계명대의 나무를 다 세고 기록을 합니다. 그리고 나무를 공부한 사학자는 인문적인 나무 이야기 『나무열전』과 『공자의 나무 장자의 나무』 등을 집필하죠.

강판권 씨는 자기 안의 점을 무시하지 않았습니다. 밖에 찍어놓았던 기준점을 모두 안으로 돌려 자신이 제일 잘할 수 있는 것을 찾아냈고 점을 다시 찍었습니다. 그리고 그 안의 점들을 연결해 하나의 별을 만들어

낸 겁니다. 강판권 씨는 지금 계명대 사학과 교수로 재직 중입니다.

만약 이 사람이 서울 강남 한복판에 있는 현대고등학교를 나오고 서울대를 졸업한 사람이라면 농촌에 주목할 수 있었을까요? 나무를 잘 알 수 있었을까요? 현대고, 서울대를 나와서 가기에는 힘든 길이죠. 그러나 그들이 가기 어려운 길을 강판권 씨는 가고 있어요. 자기가 가지고 있는 걸 봤기 때문이고 자기 길을 무시하지 않은 겁니다.

자신의 길을 무시하지 않는 것, 바로 이게 인생입니다. 그리고 모든 인생마다 기회는 달라요. 왜냐하면 내가 어디에 태어날지, 어떤 환경에서 자랄지 아무도 모르잖아요? 각기 다른 자신의 인생이 있어요. 그러니 기회도 다르겠죠. 그러니까 아모르 파티, 자기 인생을 사랑해야 하는 겁니다. 인생에 정석과 같은 교과서는 없습니다. 열심히 살다 보면 인생에 어떤 점들이 뿌려질 것이고, 의미 없어 보이던 그 점들이 어느 순간 연결돼서 별이 되는 거예요. 정해진 빛을 따르려 하지 마세요. 우리에겐 오직 각자의 점과 각자의 별이 있을 뿐입니다.

강판권 씨를 보세요. 자기 자존을 놓지 않고, 자기 자신이 가지고 있는 것이 무엇인지를 들여다봤어요. 그리고 그걸 놓치지 않았죠. 자신의 별을 만들었어요. 그가 지난한 삶과의 싸움에서 이길 수 있었던 유일한 힘은 자존이었다고 생각해요. 그러니, 내가 하고 싶은 걸 해야 합니다. 그래야 답이 나오죠. 나는 관심도 없고 잘 하지도 못하는데 남들이 다 하니까 기준점을 그쪽에 찍어놓고 산다면 절대로 답이 나오지 않을 겁니다.

이순신은 물살의 방향을 보고 그것을 이용해 한산대첩에서 승리합니다. 그런데 우리에게도 이순신의 물살이 나타날까요? 인생은 똑같이 반복되지 않습니다. 모든 인생은 전인미답(前人未踏)이에요. 인생에 공짜는 없어요. 하지만 어떤 인생이든 어떤 형태가 될지 모르지만 반드시 기회가 찾아옵니다. 그러니 이들처럼 내가 가진 것을 들여다보고 잡아야 합니다. 그리고 준비해야 하죠. 내가 뭘 봐야 하는지, 다른 사람과 어떻게 다른지, 과연 강판권의 농업과 나무가 나에게는 무엇인지 찾아야 합니다. 나만 가질 수 있는 무기 하나쯤 마련해놓는 것, 거기서 인생의 승부가 갈리는 겁니다.

Be Yourself!

Be Yourself, 너 자신이 되어라. 제가 딸에게 자주 하던 말입니다. 지금 대학생이 된 딸이 어렸을 때에는 숫기가 너무 없어서 다른 사람과 말도 잘 못했어요. 그 시절에 딸아이에게 매일 이야기해줬습니다. "Be Yourself, 너는 너다." 다른 사람이 되려고 하지 말고 너 자신이 되라고 말이죠. 여러분은 모두 폭탄입니다. 아직 뇌관이 발견되지 않는 폭탄이에요. 뇌관이 발견되는 순간, 어마어마한 폭발력을 가질 거라고 믿습니다. 그러니까 즉 자존을 찾고 자신만의 뇌관을 찾으세요.

피크닉을 가면 다른 사람이 앉은 자리의 잔디는 언제나 푸르러 보입니다. 그런데 내 앞의 잔디는 어떻게 된 일인지 늘 듬성듬성한 것 같습니다. 그러나 저편 잔디에 선 사람도 같은 생각을 하고 있을 겁니다. 저쪽에서는 이쪽이 빽빽하고 푹신해 보일 거예요. 엄친아라고 고민이 없을까요? 엄친딸이라고 완벽할까요? 듬성듬성할지언정 내가 선 자리에서 답을 찾아야 합니다. 남의 답이 아니라 나의 답을 찾는 사람이 되세

26살 대기업 못가면 지는걸까?

34살 외제차를 못타면 지는걸까?

왜,
남의생각,
남의기준으로
살까?

생각대로해
그게
답이야

<SK 텔레콤 – 생각대로 T> 광고 중에서

© Ho Park

대흥사 침계루(枕溪樓)

요. 다른 것이 틀린 게 아닙니다.

'다르다'와 '틀리다'는 다릅니다. 다른 건 다른 거고 틀린 건 틀린 거죠. 너와 내가 생각이 다른 것이지 너와 내 생각이 틀린 것은 아닙니다. 단어부터 똑바로 써야 해요. 말이 사고를 지배해서 어느 틈에 나와 다른 건 틀리다, 라고 생각하기 쉽습니다. 앞의 광고도 이런 취지로 만들었는데 별로 성공하지는 못했어요. 하지만 이 캠페인 안에 제가 이 시간에 하고 싶은 말이 다 담겨 있습니다. 자기 기준점을 잡고 살자는 이야기가 고스란히 들어가 있죠.

땅끝마을 해남에는 신라시대에 세워진 절이 하나 있습니다. 대흥사입니다. 그 절의 북원 출입문으로 대웅전 맞은편에 자리한 침계루(枕溪樓)의 기둥들은 기둥뿌리의 지름을 기둥머리의 지름보다 크게 만드는 민흘림 기법을 쓰지 않고 휘면 휜 대로 나뭇가지 부분을 그대로 드러내면서 각각의 모습을 살려서 지었습니다. 직접 가서 보면 정말 멋집니다. 나무 그대로의 모습으로 1500년의 세월을 지낸 기둥을 보고 있자면 여러 생각이 겹칩니다. 저는 우리 사회가 이 나무 기둥과 같은 모습이었으면 좋겠습니다. 깎고 다듬어져 전부 똑같은 모양의 사람들이 사는 곳이 아닌, 생긴 모습 그대로 각자의 삶을 사는 세상이 되었으면 합니다.

그리고 시공을 넘어 대흥사와 똑같은 메시지를 주지만 현대에 만들어진 또 다른 예가 하나 있습니다. 브리트니 스피어스의 노래 가사인데요. 대흥사의 기둥과 브리트니 스피어스 목소리는 시대도 전달 방법도 다르지만 같은 이야기를 하고 있습니다. 들어보실까요?

네가 보는 대로 날 받아들여

What you see is what you get

이봐, 이게 나야

This is me hey you

네가 날 원한다면 잊지 마

If you want me don't forget

넌 있는 그대로의 나를 받아들여야 해

You should take me as I am

　　－브리트니 스피어스, 〈What you see〉 중에서

　나를 사랑한다면, 나를 원한다면 있는 그대로의 나를 받아들여야 한다고 상대에게 이야기합니다. 상대의 뜻대로 나를 바꾸지 않겠다는 말입니다. Be yourself! 여러분도 이렇게 말할 수 있기를 바랍니다. Take me as I am(나를 그대로 받아들여)!

　오늘 제가 드릴 말씀은 여기까지입니다. 일주일 후에 또 뵙겠네요. 혹시 그 사이 시간이 된다면 가까운 공원에 한번 나가보시길 권합니다. 가서 잔디를 한번 보세요. 어느 곳의 잔디가 푸르른지. 자리를 깔고 앉으면 이상하게 다른 쪽의 잔디가 더 푸르러 보일 겁니다. 그럼 다시 옮겨보세요. 그리고 원래 앉았던 쪽을 다시 바라보세요. 어떨까요? 이번엔 반대쪽이 더 푸르러 보일지도 몰라요. 잔디는 늘 우리가 앉지 못한 곳이 더 푸르러 보이죠. 그러나 결국은 똑같이 푸르릅니다.

여러분, 답은 저쪽에 있지 않습니다. 답은 바로 지금, 여기 내 인생에 있습니다. 그러니 그 인생을 살아가고 있는 스스로를 존중하는 여러분이 되었으면 좋겠습니다.

本質

2강

본질

Everything Changes but Nothing Changes

本質 : 미느깨스라도 보여준
      미느깨스 않고 . 놀랐다.
여기 답이 있다 - 이야기해보자
급변하는 시대 . 1350 . 1850 . 1950
흘러간스톤 - 정신없다
내가 하는 일 - 싱고 . 머디어
4대 매체 - 미디어 음변
긴 줄자리 - 미디어 음부
너무 미얀다 - 열 송축하느나.
미디어 NS. 에디터.
사람 . 터치 . 심리.
기술은 사람을 향한다
음자 메시지의 역사 . "여보세요"
SNS 강의 - 회로도 . 덕률 .
本質에인 무엇
ㅡ 우리 생활에 적용시켜 보면.
  수용을 할 일 . 수용은 정보

모티의 지혜 .
붕신없이 묻자 . 날실인가 귀변인가 .
스펙 관리 NS . 기소체럼
쉽지 않다 . 하지만 묻자
고스톱 . 드라마 . 유행어 .
대학 때 . 군데 때 경험
멀티의 수기 됬 내서
일딱걸 . 그때 다? 구고 없다
하지만 本質만 보는 힘도 있다
경험치도 . 물론 . 발실이다 .
놓는 용기 . 믿는 고장
엔인이든 소이러리는 …
기본이 혁신이다라는 술크고
마지막으론 때마으의 그섬/그게
발실은 남기갔다는 예술가들의 축구
"돈을 봐라" 긴십스럽지만 … 감동에기 규
이야기 .

두 번째 시간입니다. 오늘은 '본질(本質)'에 대한 이야기를 나눌 텐데 우선 제가 만든 광고에 썼던 그림을 보여드리겠습니다. 피카소의 〈The Bull〉이라는 시리즈를 이용해서 만든 영상 광고였는데요. 이 광고는 광고주한테 팔릴 가능성이 희박하다는 걸 알고 만든 광고입니다. 실제로 방송되지 못했고요. 혁신적인 회사는 다 원칙을 가지고 있다는 것에서 출발했습니다. 모든 회사가 구글(Google)만 지향하는데 그러면서 중요한 걸 놓치고 있어요. 그래서 『생각의 탄생』에서 리처드 파인먼이 말한 다음 구절을 떠올렸습니다.

현상은 복잡하다. 법칙은 단순하다. …… 버릴 게 무엇인지 알아내라.

우선 본질을 알아야 혁신도 존재한다는 이야기를 해야겠는데, 피카

First state

Second state

Fourth state

Fifth state

Sixth state

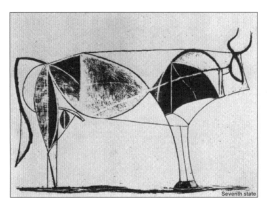

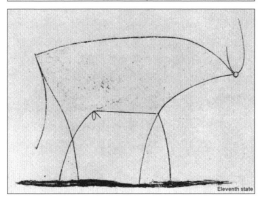

파블로 피카소, <The Bull>, 1945-1946.

소의 작품이 딱 들어맞았던 겁니다. 이 안에 오늘 이야기하려는 주제에 대한 힌트가 있습니다.

그리고 또 다른 광고 하나를 말씀 드릴 텐데요. 한 패션 브랜드의 지면 광고입니다. 사진 속에 한 여인이 이 브랜드의 가방을 들고 있습니다. 사진을 보면 매혹적인 여인의 모습과 가방에 제일 먼저 눈길이 갑니다. 그런데 시선을 조금만 옮기면 여백에 써 있는 짧은 카피가 눈에 들어옵니다.

Everything changes but Nothing changes.
모든 것은 변하지만 아무것도 변하지 않는다.

에르메스(HERMES)라는 브랜드의 지면 광고입니다. 에르메스 아시나요? 모르신다면 쭉 모른 체하시는 게 정신 건강에 좋습니다. 예쁜데 가격은 터무니없이 비싸니 살 수 없어서 안타깝게 만드는 브랜드 중 하나이기 때문입니다. 친하게 지내지 않는 게 좋을지도 모릅니다. 그런데 'Everything Changes but Nothing Changes'는 주목할 만합니다. 이 기업이 던진 카피입니다. 매우 철학적이죠. Everything Changes but Nothing Changes, 그렇습니다. 모든 것은 변합니다. 그런데 아무것도 변하지 않아요. 모든 사람도 마찬가지입니다.

전 세계에 70억의, 완전히 다른 사람들이 살고 있어요. 완전히 달라요. 쌍둥이조차도 다릅니다. 그런데 본질적으로 '사람'은 다 똑같아요. 본질적으로 똑같은 부분들이 분명히 있어요. 한번 살펴볼까요? 간혹 예외는 있지만 대부분의 여자들은 쇼핑을 좋아하고 남자들은 술을 좋아합니다. 여자들은 사랑을 하면 낭만을 생각하고 남자들은 섹스를 생각하죠. 어느 나라든 모든 아이들은 차를 타고 두시간만 지나면 "아빠 다 왔어?"라고 묻습니다. 사람은 똑같아요. 변하지 않는 그 무엇이 있어요. 저는 그것이 본질일 것 같다는 생각을 합니다.

그런데 요즘은 그야말로 Everything Changes, 다 변하는 것 같아요. 그래서 변하지 않는 진짜 본질을 잡아내지 못하고 있죠. 돌아보면 인류는 요즘같이 급변하는 시대를 경험한 적이 없습니다. 우리나라를 예로 들어볼까요? 만약에 1350년대에 살던 사람이 그때의 기억을 모두 가지고 1850년에 환생했어요. 그렇다면 사는 게 많이 힘들까요? 그 시절에는 한 인간이 태어나서 물리적으로 움직일 수 있는 거리는 비슷했어요. 신분이 낮으면 걸어 다녔을 것이고, 높으면 말을 탔을 거예요. 움직일 수 있는 그 거리가 5백 년 동안 얼마나 변했을까요? 사람들은 대부분 자기가 태어난 곳에서 1백 리 이내에서 살다 죽었을 거예요. 이게 그 시대죠. 5백 년이 흐르면서 왕조는 바뀌었지만 사회를 지배하는 도덕적 규범이나 과학의 발전 속도는 그렇게 크게 변하지 않았어요.

이번에는 1850년에 살던 사람이 1950년에 환생했다고 생각해봅시다. 살 수 있을까요? 저는 죽음과 같은 공포를 느낄 것 같습니다. 바퀴를 달고 엄청난 속도로 굴러다니는 쇳덩이, 물에 젖지 않는 고무신이라니요. 아마 기절을 할지도 모릅니다. 시대의 고증이 훌륭했던 박경리의 『토지』를 읽으면서 실제로 처음 고무신이 나왔을 때 조선사람들의 충격은 대단했을 것 같다는 생각을 했습니다. 물이 새는 짚신만 신던 사람들에게 고무신은 권력이 될 수 있었던 시절이었을 겁니다. 이게 1800년대 후반인데, 불과 1백 년 사이에 세상이 너무나 변해서 중간을 건너뛴 사람이 새 시대에 와서 산다면 사는 게 아주 어렵거나 불가능한 일이 되겠죠.

그렇다면 20세기로 들어와봅시다. 1950년에 살던 사람이 2000년에 왔어요. 어떨까요? 인터넷? 온라인쇼핑? 휴대폰? 얼마나 복잡하고 어지러울까요? 2000년에 살던 사람이 2020년에 적응하는 것도 아주 힘들 겁니다. 시대가 정말 '급변'하고 있으니까요. 'Wi-Fi'라는 말을 언제부터 듣기 시작했나요? 3G? 4G? LTE? 애니팡? 모르면 바보 되죠. 스마트폰이라는 개념이 나온 게 몇 년이나 됐나요? 저는 아직도 Wi-Fi와 3G의 개념을 잘 구분하지 못해요. 그런데 그냥 살고 있는 겁니다.

저희 집에 전화기를 처음 놓은 것이 중학교 때였어요. 70년대였죠. 그때 시골에서 고모부가 오셨는데 방에 계시던 분이 전화벨 소리에 놀라 도망을 가셨어요. 만약 지금이라면 더 놀라셨을 겁니다. 매일이 놀랄 일이죠. 변하는 세상에 대한 이야기를 좀 더 해볼까요? 이런 급변의 시대에 가장 힘든 사람들 중 하나가 저처럼 광고하는 사람들입니다.

10년 전쯤 제가 "잘 자, 내 꿈 꿔"라는 카피의 광고를 만들었습니다. 그때 패러디만 몇백 개 가까이 나왔습니다. "잘 자 개꿈 꿔" "내 꿈은 내가 꾼다" 정치인들의 "큰 꿈 꿔"까지, 전 국민이 다 한 번씩 하는 말이 됐어요. 그런데 "잘 자 내 꿈 꿔"가 대단히 아이디얼하고 섹시한 말이었나요? 아닙니다. 반복 노출의 영향 덕분이었습니다. 이정현, 조성모라는 당대 스타들을 내세워 광고를 만들고, 당시 많은 돈을 들여 공중파 3사를 통해 지속적으로 두 달 동안 노출시켰어요. 그러니 어떤 사람이 그 말을 기억하지 못하겠습니까? 얼마 전에 강의를 하면서 "잘 자 내 꿈 꿔" 광고 이미지 바로 다음에 보여준 이미지가 "꿈 깨"였습니다. 왜냐, 이제는 불가능한 이야기이기 때문입니다. 그때는 정말 많은 돈을 쓰고, 중심 미디어 3사가 움직였기 때문에 가능했지만 요즘이라면 정말 그건 "꿈 깨!"죠.

요즘 광고를 한다고 하면 젊은 후배들이 어떻게 광고를 해야 하느냐고 묻습니다. 누가 TV를 보냐고도 하고요. 실제로 이 자리에 뉴스를 TV로 보시는 분 있나요? 10년 전에는 모든 의제설정이 9시 뉴스였습니다. 3대 일간지 그리고 9시 뉴스면 끝이었죠. 지금은 그게 불가능합니다. 아무리 광고를 잘 만들어도 그때만큼의 반응이 안 옵니다. 10년 전과 똑같이 돈을 쏟아부어 계속해서 노출을 한다고 해도 소용없습니다. 그럼 사람들은 다 어디로 갔을까요? TV 대신 인터넷을 찾아가면 될까요? 인터넷 포털 사이트만 몇 개죠? 블로그들은 또 얼마나 많고요? 페이지 수가 어느 정도 될까요?

이제 브로드캐스팅(broad casting)이라는 말이 없어지고 있습니다. 내로캐스팅(narrow casting)의 시대가 됐죠. 4대 매체 중심의 광고는 끝났습니다. 그런 방식으로 어떻게 해보겠다는 건 난파하는 배에 앉아 있겠다는 것과 같죠. 강력하던 몇 개의 미디어가 없어지고 전부 개인 미디어로 퍼져버렸습니다. 그렇다면 새로운 길은 없는 걸까요?

얼마 전에 SBS 서울 디지털포럼에서 '디지털 시대에 살아남는 방법'에 대한 스피치를 했습니다. 그곳에서도 지금과 같은 이야기를 했습니다.

"기존 미디어의 기득권은 완전히 없어졌습니다. 10년 전 조선일보 기사가 갖던 힘이 지금은 없습니다. 옛날 MBC PD의 힘을 지금은 못 가집니다. 소수의 기득권을 대신해 이제 개인의 시대가 됐기 때문입니다. 요즘 가수 싸이가 열풍입니다. 싸이가 뜬 것이 방송의 힘인가요? 조선일보의 영향력 덕분인가요? 그것도 아니면 기적이 일어난 걸까요? 유튜브(Youtube) 때문이라고들 하는데, 그렇다면 유튜브는 강력한 미디어일까요? 하루 24시간 동안 올라오는 수많은 유튜브 동영상은 왜 싸이처럼 뜨지 못하는 것일까요? 이걸 어떻게 설명할 수 있을까요? 설명할 수 있는 유일한 방법은 하나입니다. 바로 콘텐츠의 힘입니다."

강력한 콘텐츠는 미디어가 무엇이 됐든 퍼지게 되어 있습니다. 그래서 우리 회사의 내부 슬로건 중 하나가 'Idea First Media Follow'입니다. 아이디어가 먼저입니다. 매체는 그 다음입니다. 광고업계의 많은 사람들은 뉴미디어, 이머징미디어(emerging media), 요즘 뜬다는 SNS에 촉각을 기울입니다. 이건 'Media First'죠. 그래서는 이 무서운 속도의 변화를 따라잡을 수 없습니다.

이 무서운 속도의 변화를 따라가야만 하는 광고계에 오래 몸담고 있던 친구와 막걸리를 한잔 하면서 나눈 대화 좀 들어보시겠습니까?

"웅현아, 너 요즘 새로 나온 SNS 트위터 아냐?"
"몰라, 그게 뭔데?"
"그것도 모르냐, 140자로 메시지를 써서 올리고 공유하는 거야."
"문자메시지 같은 거네?"
"그거랑은 다르지. 너 이거 모르면 광고 제대로 못 만들어."

"웅현아, 너 페이스북 써봤어?"
"아니, 그게 뭔데?"
"자기 계정에 사진이나 글을 올리고 그걸 전 세계 사람들과 친구를 맺어서 그걸 공유할 수도 있어."
"그거 싸이월드 아니야?"
"그거랑은 다르지. 너 이거 모르면 광고 제대로 못 만들어."

"웅현아, 애니팡 재미있지?"

"아니, 그게 뭔데?"

"동물 그림판에 똑같은 동물 그림을 맞춰서 없애는 게임이야."

"그거 헥사(Hexa) 아니야?"

"그거랑은 다르지, 이건 네트워크가 돼서 엄마랑 딸이랑 싸우게 만들어. 너 이거 모르면 광고 제대로 못 만든다."

도무지 현재의 디지털 흐름을 따라잡지 못하는 나 같은 지진아에게 살아남을 수 없는 세상이 된 겁니다. 친구는 막걸리를 마시면서 우리 나이에 험난한 세상을 살아가려면 뉴미디어에 대한 관심을 지속적으로 가져야 한다며 공부하라고 충고했습니다. 그때 막걸리 한 사발을 깨끗이 비우고 잔을 내려놓으면서 제가 말했습니다. "난 그거 못 따라가겠다."

저는 게으른 사람입니다. 그럼 제가 살 수 있는 방법은 무엇일까요? 변하지 않는 것, 본질을 보겠다는 겁니다. 그렇다면 무엇이 본질일까요? 바로 콘텐츠입니다. 콘텐츠는 '사람을 어떻게 움직이는가'에 대한 메커니즘입니다. 이것만 확실하면 페이스북에서, 트위터에서 퍼갑니다. 〈강남스타일〉이 아주 좋은 예죠. 가수 싸이도 처음 그 뮤직비디오를 만들면서 유튜브에 올리고 폭발적인 반응을 얻어 빌보드에 진출해야겠다고 생각하지 않았을 거예요. 〈강남스타일〉 성공의 이유는, 수많은 흔들림에도 불구하고 싸이라는 가수가 자신의 본질을 놓지 않았기 때문이라고 봅니다. 그가 뜬 건 현대 미디어의 덕이 아니라, 흥이 많은 싸이라는 사람 자체의 본질을 놓지 않은 결과입니다. 그 본질이, 살아 있는 콘텐츠의 힘이 지금의 싸이를 만든 거예요.

온갖 새로운 SNS, 변화하는 커뮤니케이션 방식을 저는 도무지 못 따

라가겠어요. 그러나 길은 있죠. 이렇게 급변하는 시대에도 변하지 않는 게 있고, 그걸 잡는 게 나의 유일한 돌파구입니다. 역설적이게도 이런 복잡한 미디어의 시대가 진정성의 시대가 되어버린 겁니다.

앞의 사진들을 보세요. 여러분은 여기서 뭘 보았나요? 계속 변하는 기술들을 보았습니까? 저는 사람을 봅니다. 모든 것은 변하지만 Everything Changes, 변하지 않는 것들이 있기 때문입니다. 사람들의 마음이 그것입니다. 사람들의 웃음은 변하지 않습니다. 이제는 본질의 시대고 '변하지 않는' 그것을 잡아야 해요. 아까 이야기했던 전화를 예로 들어볼까요? 제가 예전에 썼던 영상통화 전화기 카피입니다.

'여보세요'는 여기를 보라는 말입니다.
사람을 보고 싶어 하는 마음이 전화를 만들었습니다.

전화기의 본질은 궁금하고, 그립고, 보고 싶은 사람의 목소리라도 듣고 싶은 마음입니다. 전화기가 발전해 개인 휴대전화가 생기고, 그 휴대전화로 얼굴을 마주보면서 통화할 수 있는 시대가 됐지만 전화기의 본질은 바뀌지 않았습니다. 이처럼 변화하는 것 속에 변하지 않는 것, 'Everything changes'에서 'Nothing Changes'를 보는 것이 인생에서 매우 중요합니다. 그리고 그게 콘텐츠가 되는 겁니다.

여러분, 요즘 같은 콘텐츠의 시대는 없었습니다. 지금처럼 본질이 중요한 시대가 없습니다. 옛날엔 본질이 약해도 미디어가 새로우면 본질 이상의 것을 얻을 수 있었어요. 예를 들어 지식이 짧아도 조선일보 논설위원의 말이라면 들어줬습니다. 9시 뉴스면 확실히 전달이 됐어요. 그러나 아쉽게도 지금은 불가능합니다. 아주 냉정한 싸움의 현장에 지

옥의 문이 열린 겁니다. 권력을 가진 자들에게는 특히 지옥의 문이겠지
만 우리 민초들에게는 어쩌면 천국의 문이 열린 거겠지요. 미디어의 도
움이 없어도 자기 콘텐츠의 힘만 있으면 무엇이든 가능하게 되었으니
까요.

> 죽은 이의 영혼이 반딧불이 된다고 합니다.
> 광화문을 우리의 영혼으로 채웁시다.
> 광화문에서 미선이 효순이와 함께 수천 수만의 반딧불이 됩시다.
> (…)
> 검은 옷을 입고 촛불을 준비해주십시오.
> 집에서 나오면서부터 촛불을 켜주십시오.
> (…)
> 저 혼자서라도 시작하겠습니다. 이번 주, 다음 주, 그다음 주.
> 광화문을 우리의 촛불로 가득 채웁시다.

　기억하십니까? 〈인터넷 한겨레〉의 자유토론방에 한 네티즌이 올린
짧은 글이 시청 앞 광장에 10만 명의 시민을 불러 모았고, 대한민국 시
위 지평을 바꿨습니다. 미선이 효순이 사건의 진상규명을 위한 시위였
죠. 2002년이었습니다. 2002년은 월드컵보다 힘없는 개인이 가지고
있는 콘텐츠의 힘이 얼마나 위대한 것인지 보여준 이 최초의 촛불시위
로 기억되어야 한다고 생각합니다. 10만 명을 모을 수 있었던 힘은 미
디어를 통해서가 아니었습니다. 사람을 움직이는 마음에서 온 것이죠.
이게 본질 아닐까요?

본질을 무엇으로 보느냐에 따라 생각과 행동이 달라집니다. 그 예를 몇 가지 말씀드려볼까요? 저는 수영 경력 15년 차입니다. 거의 매일 아침 30바퀴씩 레인을 돕니다. 허리를 다치기 전까지는 접영도 했었어요. 그런데 제가 이 정도 수영을 하기까지 얼마나 많은 우여곡절이 있었는지 모릅니다. 저는 운동신경이 좋은 사람이 아닙니다. 기계나 숫자와 함께 나를 평생 괴롭힐 또 한 가지가 아마 부족한 운동신경일 겁니다. 그런데 어느 날 집사람이 수영을 권했습니다. 본인이 해봤는데 좋다는 겁니다. 우리 집에서 집사람은 당, 저는 인민으로 서열이 나뉘니까 인민은 당이 시키는 대로 하는 수밖에 없죠. 그래서 타의로 수영을 시작했습니다.

시작은 했지만 얼마 하지도 않고 그만둘까봐 집사람이 매일 걱정을 했어요. 왜냐하면 다른 사람들은 한 달 강습을 받고 나면 25미터 정도는 거뜬히 가는데 저는 25미터 가는 데 석 달이 걸렸거든요. 그리고 아주 놀랍게도 50미터를 가는 데 6개월이 걸렸죠. 저와 같은 반에서 시작한 사람들이 상급반이 돼서 저 건너 레인에 있었으니, 저만 나머지 반에 남아 있게 된 것이죠. 집사람이 걱정하는 건 당연했습니다. 하지만 그만두지 않았어요. 그냥 내 몫을 꾸준히 했죠. 언젠가 집사람이 묻더군요. 창피하지 않냐고, 어떻게 견디냐고요. 그때 제가 대답했어요. "잘하려고 하는 게 아니라 땀을 흘리려고 하는 거니까."

그렇습니다. 수영을 배우는 목적이 '수영을 잘 하는 것'이었다면 저는 일찌감치 나가떨어졌을 겁니다. 하지만 수영을 배우는 본질을 저는 '땀 흘리는 것'으로 정했어요. 저는 수영 선수가 될 것도 아니고 빨리 상급

반으로 올라가고 싶은 생각도 없었어요. 강사에게 잘 보일 것도 아니고요. 그러니 실력이 빨리 늘지 않는 것은 크게 문제되지 않았습니다. 이렇듯 본질이 무엇이냐에 따라 흔들림이 달라집니다.

박웅현의 본질 찾기 2

제 이야기를 하나 더 하겠습니다. 지금은 이렇게 앞에서 이야기를 잘하고 있지만 사실 전 무대공포증이 있었어요. 게다가 그 공포가 여러분이 상상하는 것보다 엄청났습니다. 초등학교 때는 하도 고개를 숙이고 있으니까 담임선생님이 무슨 불만 있냐고 물을 정도였습니다. 한번은 1등부터 성적순으로 앉고 싶은 자리를 찾아 앉으라고 했는데, 저는 성적이 좋아 선택의 여지가 많았음에도 맨 뒤 구석자리를 택했습니다. 그랬더니 선생님이 반항하냐며 역정을 내더군요. 앞에 나서는 것, 주목받는 것이 싫었으니 가장 싫어했던 과목은 음악이었고 소풍처럼 장기자랑을 해야 하는 행사가 늘 두려웠습니다.

이 공포는 대학교 때까지 이어졌어요. 대학 재학 중에 큰 상을 받게 됐는데, 수상식장이 신라호텔 그랜드볼룸이었어요. 그런데 단상까지 이어지는 호텔 볼룸 특유의 긴 길이 두려워서 수상식 날 오후 4시부터 술을 먹고, 7시에 예정되어 있는 수상식에 결국 참석하지 않았죠. 회사에 입사해서도 마찬가지였습니다. 광고회사에 입사했는데 프레젠테이션을 해야 한다고 했습니다. 어떻게든 피하고 싶어서 동료들의 스크립트를 다 써주고 뭐든 시키는 대로 다 할 테니 남들 앞에서 이야기하는 것만 시키지 말아달라고 부탁을 했죠. 상상이 가십니까?

하지만 사회생활이 학창시절과 같을 수는 없습니다. 결국 프레젠테이션을 하게 됐어요. 지금도 또렷이 기억합니다. 장소는 동숭동에 있는 학습지 회사였고, 낙엽이 지는 가을날이었고, 시간은 20분 정도 걸렸고, 선선한 가을 날씨임에도 셔츠가 흠뻑 젖었습니다. 그것이 제 생애 첫 번째 프레젠테이션이었습니다. 그 뒤로 무수히 많은 프레젠테이션이 있었고요. 그리고 이제 두 가지는 무섭지 않습니다. 강의와 프레젠테이션. 하지만 아마 노래를 하라고 하면 또 도망을 갈 거예요.

어쨌든 강의와 프레젠테이션에 대한 두려움과 공포심을 모두 극복했어요. 어떻게 극복했을까요? 광고계에서 먹고 사는 이상 프레젠테이션은 피할 수 없는 것이니 어떻게 해야 할까 생각했죠. '나는 도대체 왜 이렇게 떨리는 걸까?' 하고 제 자신을 돌아봤더니 너무 잘하려고 한 것이 문제였습니다. 남들한테 멋지게 보이고 싶은 마음이 컸던 거죠. 하지만 잘하는 것보다 중요한 것은 '할 말을 하는 것'이었어요. 열 명의 스태프들이 오랜 시간 동안 피와 땀을 흘려 생각해낸 아이디어를 잘 정리해서 정확하게 전달하는 게 내 역할이었습니다. 프레젠테이션의 본질은 내가 멋있어야 하는 게 아니라 잘 전달하는 것에 있더라는 거죠. 그 이후로 덜 떨렸어요.

공부의 본질은 뭡니까? 서울대학교에 가는 걸까요? 공부는 나를 풍요롭게 만들어주고, 사회에 나가서 경쟁력이 될 실력을 만드는 게 본질이에요. 스펙은 뭘까요? 그야말로 포장입니다. 알맹이는 본질이죠. 스스로를 스펙만으로 정의 내리는 사람은 덩어리만 큰 빈 수레와 같습니다. 물론 기업들이 스펙을 보니 스펙, 중요합니다. 기업들은 그걸 보는 게 제일 쉬우니까 보는 것이겠죠. 하지만 아무리 좋은 스펙이라고 그것이 본질이 될 수는 없습니다.

　스펙만 잘 관리해서 사회생활을 시작하기만 하면 조직에서 훌륭하게 될 거라는 보장은 없습니다. 사회가 그렇게 나긋나긋하지 않기 때문입니다. 토플 만점에 하버드 대학원 출신인데 회의를 했더니 인상적이지 않습니다. 아이디어도 새롭지 않고요. 그러면 '뭐 그냥 그러네' 하게 됩니다. 하지만 지방대학을 나와 인턴을 하던 친구와 이야기를 나눴는데 발상이 기발하고 신선해요. 그럼 '어라?' 하고 눈여겨보게 되고 이것 저것 시켜보죠. 학벌은 사회생활 2,3년이면 다 세탁이 됩니다. 들어갈 때야 명함이 되지만 2,3년 후에는 중요하지 않다는 말입니다. 스펙보다 그 사람이 가지고 있는 진짜가 무엇인지가 정말 중요합니다.

　저는 딸에게도 인생을 제대로 살고 싶으면 스펙 관리하지 말라고 합니다. 그 시간에 네 본질을 쌓아놓으라고 하죠. "기준점을 밖에 찍지 말고 안에 찍어, 실력이 있으면 얼마든지 별을 만들어낼 수 있어. 강판권을 봐, 언젠가 기회가 온다니까. 그러니 본질적인 것을 열심히 쌓아둬." 이런 이야기를 하곤 합니다.

　그렇다면 내가 좋아하고 잘할 수 있는 것이 다 본질이냐? 고스톱이나 애니팡 같은 게임을 진짜 잘하는데 그럼 이게 내 본질일까? 저는 이렇게 이해합니다. 내가 하는 행동이 5년 후의 나에게 긍정적인 체력이 될 것이냐 아니냐가 기준이 될 수 있을 것 같습니다. 지하철에서 휴대폰으로 치는 고스톱이, 애니팡이 당장의 내 스트레스는 풀어주겠지만 5년 후에 나에게 어떤 영향을 줄까요? 본질은 결국 자기 판단입니다. 나한테 진짜 무엇이 도움이 될 것인가를 중심에 놓고 봐야 합니다.

저는 대학 때 그냥 놀고 싶었습니다. 군대도 카투사를 지원해서 갔는데 시간도 많았고 편한 편이었죠. 놀고 싶었으니까 일과가 끝나면 밖에 나와 술을 마셨어요. 카투사는 외출이 가능했거든요.

그런데 같은 학교, 같은 학번으로 공무원 시험 준비를 하는 고참이 한 명 있었어요. 그가 어느 날 저를 부르더니, 싹수가 있는 놈 같은데 왜 소중한 시간을 낭비하느냐고 훈수를 두더군요. 틀린 말은 아니니 가만히 듣긴 했습니다만 못된 성격에 꼭지가 돌아서, "상병님은 그 교재를 보는 게 공부겠지만 제게는 저 길거리가 공부의 대상입니다!" 하고 나와버렸습니다.

사실은 그 앞에서 떵떵 큰소리는 쳤는데 속은 떨리고 불안하더라고요. 정말 시간을 낭비하는 건 아닌지 걱정도 됐습니다. 그래서 스스로 한 달에 한 번 청계천 고(古)서점에 다녀온다는 원칙을 정했습니다. 그리고 매달 한 번씩 서점에 가서 문학사상, 세계문학, 실천문학 등 한 권에 2백 원 하는 헌책을 20권씩 사다 읽었죠. 꼼꼼하게 읽지는 못하지만 재미있는 단편소설, 시 등을 빼놓지 않으려고 했어요. 소설가나 시인들을 그 시절에 많이 알게 됐습니다. 그때 그 헌책들을 읽으면서 어렴풋하게 그것이 본질적이라는 생각을 했던 것 같습니다. 이게 언젠가 훗날 나의 체력으로 돌아올 거라고 짐작했어요.

학교신문사 편집장을 해서인지 군대를 제대하고 취업 준비를 할 때 주위에서 박웅현은 당연히 신문사에 취업이 될 거라고 했습니다. 그런데 다 떨어졌어요. 신문, 방송 주류 언론사에서 다 낙방했어요. 떨어질 만했죠. 시험 준비를 전혀 안 했으니까요. 그때 언론사 시험을 보려면 '동아상식백과'를 다 외워야 했어요. 도서관에 가면 전부 그 책을 펼쳐놓고 공부하던 시절이었죠. 저는 그까짓 거 안 외운다고 팽개쳤어요. 그래놓고 왠지 불안해서 도서관에 가서 『안나 카레니나』를 읽었습니다. 솔직히 말하면 읽었다기보다 글씨를 보면서 책장을 넘겼다고 해야겠죠. 단순히 불안을 잠재우려고 했던 행위였어요. 친구들이 왜 상식공부 안 하냐고 하면, 『안나 카레니나』가 상식이라고 우겼어요. 결과는 보기 좋게 떨어졌는데, 지금 돌아보면 그때 찾고자 했던 것이 본질적인 게 아니었나 싶습니다.

본질은 지난 시간 강의했던 자존, 그리고 다음 시간에 이야기할 고전과 매우 잘 어울리는 단어입니다. 시간의 세월을 잘 견뎌낸 것들은 본질적인 것들이에요. 니코스 카잔차키스의 『영국 기행』에 이런 구절이 있습니다.

옥스퍼드와 케임브리지 소속 칼리지들의 주요 목표는 학식이나 지식을 두뇌에 채워 넣는 것만이 아니다. 이곳 졸업생은 의사나 변호사, 신학자, 물리학자, 운동선수 같은 전문가가 되어 나가지 않는다. 여기에는 신체적으로든 정신적으로든 어느 한 방면의 전문성을 지나치게 강조하지 않는다. 그레이트브리튼 최고의 젊은이들이 고등학교를 마치고 와서 2, 3년 머무르며 〈조화〉를 배운다. 육체, 정신, 심리가 고루 단련된 완벽한 인간이 유일한 목표이다. 이 기간이 지난 후에는 본인의 희망에 따라 종합 대학이나 법학 대학원, 종합 기술 전문대학, 병원 등 어디서나 전문적인 공부를 계속한다. 옥스퍼드나 케임브리지에서는 전공 분야에 대한 증서를 받지 않는다. 그들이 받는 것은 〈인간의 증서〉이다.

본질을 탄탄하게 만들어 사람이 먼저 되어야 한다는 것이죠. 미국의 아이비리그에 속하는 컬럼비아 대학도 마찬가지입니다. 이 학교는 전공을 2년 동안 정하지 않아요. 2년 동안 교양만 가르치는데, 학생들은 총 8개의 교양을 배웁니다. 고대와 현대 그리고 비영미권의 문학, 사학, 철학 그리고 이과 과목 두 가지, 쓰기, 음악, 미술. 1905년도에 컬럼비아는 이 제도를 만들었고 한 번도 고치지 않았다는 것을 매우 자랑스럽게 생각합니다. 그러니까 교육의 본질은 교양과 삶의 태도를 가르치는 전인교육이 되어야 한다는 것이죠.

그런데 우리의 교육은 참 안타깝습니다. 중·고등학교 교과 과정에서 음악, 미술, 체육 시간을 줄이거나 없앤다고 합니다. 그런 것들을 없앤다는 건 대학 가는 것을 본질로 보고 있다는 이야기입니다. 기능인들을 기르겠다는 겁니다. 수능을 잘 봐서 좋은 대학 가는 걸 교육과 학습의 본질로 놓기 때문에 이런 현상이 생기는 겁니다. 사람들은 한 줄로 서게 되고 이게 불안을 가중시키고 있습니다. 그래서 감정을 절제하지 못해 가정폭력을 휘두르는 엘리트들이 나오는 겁니다. 이것은 좋은 사회가 아닙니다. 기본적인 것들을 먼저 갖춰야죠. 지식은 본질을 익힌 후에 있어야 합니다.

본질이 아닌 것 같다면 놓는 용기도 필요합니다. 단점이지만 저는 신문을 많이 보는 편이 아닙니다. 미디어에 대한 편견 때문이 아니라, 신문에 있는 이야기들은 어차피 흘러갈 것들이라는 생각이 들기 때문입니다. 물론 사회문맥을 파악해야 하고, 세상 돌아가는 것도 알아야 합니다. 중요하죠. 하지만 왠지 저는 흘러가는 것보다 본질적인 것에 시간을 쓰고 싶었어요. 예비군 훈련처럼 덤으로 시간이 주어졌을 때에도 신문 대신 주로 책을 읽고 사색을 했습니다. 지금도 그 습관은 여전합니다. 여행을 떠날 때 비행기 안이나, 숙소에서도 신문 대신 책을 선택합니다. 이런 것들이 더 본질적이라고 생각하기 때문에 사회 변화에 대한 문맥 파악은 좀 놓고 사는 편입니다. 이것이 옳다는 이야기가 아닙니다. 제가 하고 싶은 말은 본질을 발견하려는 노력과 본질이 아니라고 생각하는 것은 포기할 줄 아는 용기, 그리고 자기를 믿는 고집이 있어야 한다는 것입니다. 그래야 그럼에도 불구하고 단 하나뿐인 '나'라는 자아가 곧게 설 수 있으니까요.

강의 첫머리에 보여드린 피카소의 연작을 다시 한번 보시죠. 이 작품을 그리면서 피카소가 했던 일은 아이디어를 더하는 게 아니라 빼는 것이었습니다. 빼고 또 빼서 본질만 남기는 것이었죠. 이 작업을 많은 예술가들이 합니다. 코코 샤넬도 디자인한 옷에 온갖 액세서리를 붙인 후에 필요한 것만 남을 때까지 뺐다고 합니다. 완당 김정희 또한 비슷한 과정을 거쳐요. "속기를 빼고 골기만 남겨라." 속기는 예쁘게 보이려는 마음이고 진짜 말하고자 하는 것은 골기라는 겁니다. 앙리 마티스도 마찬가지였죠.

〈The Back〉이라는 부조 연작을 보면 사물의 핵심을 잡으려는 노력이 그대로 보입니다. 예술은 궁극의 경지에서 단순해지고 명료해진다는 것을 예술가들의 작품을 통해 볼 수 있습니다. 이는 우리가 추구해야 할 것과도 일맥상통합니다.

『곽재구의 포구기행』에서 곽재구 작가는 이렇게 말했습니다.

연륜은 사물의 핵심에 가장 빠르게 도달하는 길의 이름이다.

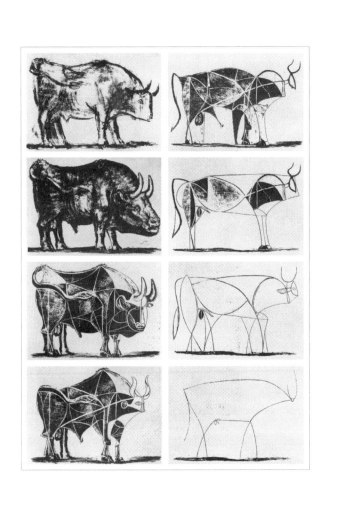

앙리 마티스, 〈The Back I ~ Ⅳ〉, 1908~1931, 청동, 뉴욕 모던 아트 미술관.

그 복잡한 사물의 핵심이 무엇인지 보려는 노력, 어떤 것을 보고 달려가느냐가 세상과의 싸움에서 이길 수 있는 커다란 무기입니다. 기타를 만든다고 했던 클래식 기타 회사는 다 망했고, 음을 만든다고 했던 클래식 기타 회사는 모두 살아남았습니다.

본질은 삶을 대하는 데 있어 잊어서는 안 되는 아주 중요한 단어입니다. 우리가 본질적으로 가져가야 할 것이 무엇일까요? 오늘이 그것에 대해 고민하는 하루가 되길 바랍니다. 덧붙이자면, 경험상 돈을 따라가면 재미도 없고 재미를 따라가면 돈도 따라오더군요. 그런 경험에 따른 제 생각을 말씀 드리자면 돈은 본질이 아닙니다. 돈을 따라가지 말고 내가 뭘 하고 싶은지 내 실력은 무엇인지 어떤 것을 할 수 있는지를 고민해보고 그것을 따라가세요.

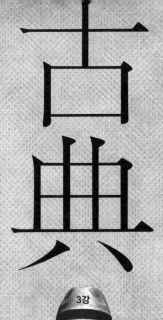

古典

고전

Classic, 그 견고한 영혼의 성(城)

古典 : 사고의 정의.
현실 다음 세대의 읽히기 좋은
시간의 시간.
그렇게 발자취을 지우는…
틈틈이 숨겨놓는…
그그의 시간 이후에 꼬들이 읽다
중요하지 않다? 애들고, 아이들,
내가 가진 첫번째꼬들이 이 책
이 많의. 당대의 힘.
무시할 수 있다. 하지만 더
무서운 것은 古典이다
시대를 떠나 살아남았다는 꼬
흥미롭다는 무엇이 있다는 거다.
그걸 궁금해 해라 그게 본질일께다
그게 왜 뭣보다 스물되어있다
갔으니깐다 천년대 例.
18세기 例. 15세기 例.
  (自樂 知귀, 見)— 여러 point

이 찬란한 가을 저녁, 강의를 듣기 위해 모인 여러분께 감사드립니다. 정말 놀랍습니다. 일과를 마치고 식사도 거른 채 이 자리에 앉아 있는 여러분이 정말 대단합니다. 나라면 어땠을까 뒤돌아보게 됩니다. 오늘은 자존과 본질의 시간이 가고 드디어 고전의 시간입니다. 고전에 대한 이야기를 하기 전에 이 가을날을 뒤로 하고 이곳에 와 계신 여러분들을 위해 사랑에 관한 시 한 편 들려드리겠습니다. 김용택 시인의 「첫사랑」입니다.

바다에서 막 건져 올린

해 같은 처녀의 얼굴도

새봄에 피어나는 산중의 진달래꽃도

설날 입은 새 옷도

아, 꿈같던 그때

이 세상 전부 같던 사랑도

다 낡아간다네

나무가 하늘을 향해 커가는 것처럼

새로 피는 깊은 산중의 진달래처럼

아, 그렇게 놀라운 세상이

내게 새로 열렸으면

그러나 자주 찾지 않는

시골의 낡은 찻집처럼

사랑은 낡아가고 시들어만 가네

이보게, 잊지는 말게나

산중의 진달래꽃은

해마다 새로 핀다네

거기 가보게나

삶에 지친 다리를 이끌고

그 꽃을 보러 깊은 산중 거기 가보게나

놀랄 걸세

첫사랑 그 여자 옷 빛깔 같은

그 꽃 빛에 놀랄 걸세

그렇다네

인생은, 사랑은 시든 게 아니라네

다만 우린 놀라움을 잊었네

우린 사랑을 잃었을 뿐이네

정말 좋죠? 그런데 이 부분 한 번 다시 보세요.

바다에서 막 건져 올린 / 해 같은 처녀의 얼굴도 / 새봄에 피어나는 산중의 진달래꽃도 / 설날 입은 새 옷도 / 아, 꿈같던 그때 / 이 세상 전부 같던 사랑도 / 다 낡아간다네

정말 미안하지만 우리 솔직해집시다. 사랑이 영원한가요? 남산에 올라 자물쇠를 채운들 그 사랑이 영원할까요? 누군가는 사랑의 유효기간을 3년이라고 했죠. 그런데 사실 사랑하는 그 순간 당사자들은 몰라요. 사랑이 영원할 줄 알아요. 저도 그랬고, 여러분도 그럴 테고요. 사람들은 누구나 그래요. 한 사람에게 무너져내린 황홀한 인생의 순간 누가 마지막을 떠올리겠습니까? 빅토르 위고도 이렇게 말했습니다. "우주를 한 사람으로 축소시키고 그 사람을 신으로 다시 확대하는 것이 바로 사랑이다." 지금 우주가 내 곁에 있는데, 마지막은 보이지 않습니다.

저는 이것이 인생의 봄날 같습니다. 어느 순간 사랑이 시작되면 그 사람은 그냥 한 사람이 아닌 전 우주를 담고 있는 사람이 되고, 우리는 봄날을 맞이하죠. 그러나 애석하게도 봄날은 계속되지 않아요. 노래가 사처럼 봄날은 갑니다. 곧 바람이 불고, 잎이 떨어지고 싸늘한 공기가 세상을 메우죠.

알랭 드 보통의 소설 『왜 나는 너를 사랑하는가』나 『우리는 사랑일까?』를 보면 사랑을 아주 객관적으로 묘사합니다. 한 연인의 순차적인 사랑의 기록을 보면 무릎을 치게 되죠. 처음 여자를 만났을 때 남자는 그 여자를 만난 건 운명이라고 생각합니다. 많고 많은 장소 중 비행기 안에서, 그것도 파리에서 런던으로 가는 수많은 비행기 중 마침 그 비

행기에서, 몇백 개가 넘는 좌석 중 바로 자기 옆자리에 앉은 여자. 운명입니다. 마음속에 따뜻한 바람이 불고 행복을 느끼죠. 하지만 2년이 지난 후, 남자는 아무렇지도 않았던 그녀의 말투, 취향이 못마땅해지고 이 여자를 사랑했던 것에 아연해요. 그러니까 김용택 시인의 말대로 사랑은 다 낡고, 시들어갑니다. 미안하지만, 사실이에요. 그런데 따뜻한 사람인 김용택 시인은 그래도 희망 한 줄기를 남겨둡니다.

이보게, 잊지는 말게나 /산중의 진달래꽃은 / 해마다 새로 핀다네 / 거기 가보게나 / 삶에 지친 다리를 이끌고 / 그 꽃을 보러 깊은 산중 거기 가보게나 / 놀랄 걸세 / 첫사랑 그 여자 옷 빛깔 같은 / 그 꽃빛에 놀랄 걸세 / 그렇다네 / 인생은, 사랑은 시든 게 아니라네 / 다만 우린 놀라움을 잊었네 / 우린 사랑을 잃었을 뿐이네

솔직히 말씀드리자면 개인적으로 이것은 그저 위안일 뿐인 것 같아요. 잔인할지 모르지만 사랑은 시들어요. 이제 김화영의 『시간의 파도로 지은 성』의 구절을 소개할 텐데 제가 생각하는 사랑은 이런 것이에요.

누가 그랬던가 '영원한 사랑'이라고? 영원한 것은 오직 돌과 청동과 푸른 하늘뿐이다. 저 이끼 낀 돌 속에 사랑의 혼이 서려 있을까? 그렇지 않다. 흘러가버리는 것, 먼지가 되어버리는 살, 무너져버리는 사랑의 철저한 무(無)- 해묵은 돌들이 증언하는 것은 그런 것뿐이다. 모두가 무너지고 오직 화려한 대문만 남은 이 사랑의 성은, 그리하여 마땅히 하나의 폐허인 것이다.

이 구절에서 말하는 '사랑의 성'은 아름다운 디안 부인이 자신을 사랑했던 프랑스의 왕 앙리 2세가 세상을 떠나자, 그가 사랑의 징표로 지어 준 슈농소 성을 반환하고 돌아와 여생을 보낸 '아네 성(城)'이에요. 20살 연하의 소년 왕자를 반하게 할 정도로 아름다웠던 한 여인이 어린 연인을 먼저 떠나보내고 칩거했던 그 성에는 이제 냉정한 햇살과 이끼 낀 돌뿐이죠.

지금까지 프랑스 역사 속에서 회자되는 5백여 년 전 대단한 사랑의 주인공들도 결국 '언제나 승리하는 말 없는 자연의 돌들 속으로' 돌아갔어요. 그러나 그들이 한창 사랑을 나눴을 때 축복을 내리던 햇살은 아직도 따뜻하게 머리 위를 비추고 있죠. 인간은 이 세상의 덧없는 길손일 뿐입니다. 영원한 것은 돌이고, 청동이고, 햇살이죠. 마지막으로 사랑의 영원을 믿지 않는 또 하나의 시가 있습니다.

오, 기억해주오
우리가 연인이었던 그 행복했던 날들을
그 시절 삶은 아름다웠고
태양은 오늘보다 뜨겁게 타올랐다네
죽은 잎들은 하염없이 쌓이고
너도 알리라, 내가 잊지 못하는 걸
죽은 잎들은 하염없이 쌓이고
추억도 회한도 그렇게 쌓여만 가네
북쪽에서 불어오는 바람은 그 모든 것을 싣고 가느니
망각의 춥고 추운 밤의 저편으로
너도 알리라, 내가 잊지 못하는 걸

그 노래, 네가 내게 불러주던 그 노래를

그 노래는 우리를 닮은 노래였네

너는 나를 사랑했고 나는 너를 사랑했지

우리 둘은 언제나 함께인 둘로 살았었다

나를 사랑했던 너, 너를 사랑했던 나

하지만 인생은 사랑했던 두 사람을 갈라놓는 법

너무나 부드럽게, 아무 소리조차 내지 않고서

그리고 바다는 모래 위를 지우지

하나였던 연인들의 발자국들을

　자크 프레베르의 「고엽」입니다. 네, 맞습니다. 유명한 샹송 〈고엽〉의 바로 그 고엽. 노래로만 알다가 자크 프레베르의 시라는 걸 알게 된 건 몇 년 전입니다. 바람에 낙엽이 굴러다니던 늦가을 무렵 후배 이원홍을 포함한 몇몇과 2차로 장충공원 앞의 매점 테이블에서 맥주를 마실 때였습니다. 쓸쓸한 가을날, 낙엽과 바람과 함께 술을 한잔 하니 다들 노래가 나와야 한다고 의견을 모았습니다. 그래서 저보다는 음감이 있고 음가를 제대로 알고 부르는 이원홍에게 한 소절 부탁했더니 이 노래를 부르더라고요. 가을밤, 옷깃을 여미고 마시는 맥주잔 사이로 흐르던 후배의 투박한 노래. 사랑은 영원하지 않지만 이 노래를 제대로 알게 된 그날은 기억에 남을 날이 됐습니다.

　노래를 다 듣고, 우리 말로 무슨 뜻이냐고 하니 설명을 해주는데, 참 좋아서 번역해서 메일로 좀 보내달라고 했습니다. 지금 보신 것이 바로 제 후배의 「고엽」 번역본입니다. 그런데 자 마지막을 보세요. 자크 프레베르도 알고 있습니다.

나를 사랑했던 너, 너를 사랑했던 나 / 하지만 인생은 사랑했던 두 사람을 갈라놓는 법 / 너무나 부드럽게, 아무 소리조차 내지 않고서 / 그리고 바다는 모래 위를 지우지 / 하나였던 연인들의 발자국들을

모래 위에 새긴 발자국 같은 거예요, 사랑은. 파도가 밀려오면 지워져버리고 말죠.

시간을 이겨낸 고전(古典 · Classic)

서론이 너무 길었나요? 본론에 앞서 이런 저런 사랑 이야기를 길게 한 것은 오늘 이야기할 고전을 좀 더 쉽게 설명하기 위해서였습니다. 고전의 사전적 정의는 다음과 같습니다.

1. 예전에 쓰인 작품으로 시대를 뛰어넘어 변함없이 읽을 만한 가치를 지니는 것들을 통틀어 이르는 말
2. 어떤 분야의 초창기에 나름대로의 완성도를 이룩해 후대의 전범으로 평가받는 저작 또는 창작물

(출처 : Daum 국어사전)

시대를 뛰어넘어 변함없이 읽을 만한 가치를 지니는 것, 그렇습니다. 온 세상을 품을 것 같던 사랑도 지워지고, 아름답던 얼굴도 시들고, 절대 잊지 못할 것 같던 치욕의 순간도 흐려지고, 날아오를 듯한 환희의

순간도 희미해지죠. 이렇게 잊히는 인생인데 우리가 살다 간 흔적을 얼마나 남길 수 있을까요? 대부분의 것들이 시간에 굴복합니다. 그런데 고전은 시간과 싸워 이겨냈어요. 3백 년, 5백 년을 살아남았고 앞으로 더 살아남을 겁니다. 놀랍지 않습니까? 저는 이게 정말 궁금했어요. 모든 것이 시간 앞에 다 풍화되어버리는 세상 속에 고전 작품들은 도대체 어떻게 그토록 오래도록 살아남을 수 있는 것인지. 아니 풍화되기보다 마치 시간의 엄호를 받고 있는 듯 날이 갈수록 더 단단해질 수 있는 것인지. 그것이 무척 궁금했습니다. 그래서 고전에 귀를 기울이고, 마음을 주기 시작했어요. 그리고 이 본질적인 것의 힘이라는 것이 무서웠습니다. 이제 아시겠죠? 본질 다음에 고전을 강의 주제로 한 이유를 말입니다. 여기 지금 강의를 듣고 있는 김현규 씨가 제게 보낸 메일 내용 중 일부를 발췌해보겠습니다.

"그런 관점에서 볼 때 전 세계인을 감동시키는 위대한 문학이나 미술, 음악 등 예술작품들은 본질에 가깝다고 볼 수 있습니다. 나한테만 좋은 것이 아닌, 우리나라에서만 좋은 것이 아닌, 전 세계 다수의 인간이라는 종이 느끼는 근본적인 무엇을 건드린 것이기 때문입니다."

제 생각이 바로 그렇습니다. 고전의 성격을 아주 잘 이해했어요. 누군가는 좋고 누군가는 싫을 수도 있지만, 대다수의 사람이 좋아할 확률이 가장 높은 것이 고전입니다. 세월을 이겨내고 살아남았기 때문이죠.
　당대도 중요합니다. 요즘의 트렌드, 올해의 베스트셀러 작가, 예술 작품 중요합니다. 하지만 어디까지나 당대죠. 당대는 흐르고, 고전은 남습니다. 당대의 작품 중 아주 뛰어나고 훌륭한 몇몇만이 고전이 될 가능성이 있을 뿐입니다. 제가 만든 광고는 5년만 지나도 부끄러워서 볼 수가 없습니다. 지금 전 세계의 사랑을 받고 있는 수많은 케이팝(K-POP) 중 10년 후에도 우리가 좋아할 만한 곡이 얼마나 될까요? 20년 후, 30년 후, 50년 후까지 살아남을 수 있는 곡이 있을까요? 그럼 팝 중에는 있을까요?

비틀즈를 한번 봅시다. 1960년대에 활동을 했으니 벌써 50년이 지났죠. 그리고 지금까지 비틀즈는 비틀즈입니다. 대단하죠. 그럼에도 불구하고 비틀즈는 아직 클래식이 아닙니다. 클래식이 되어가고 있는 중이죠. 비틀즈가 클래식이 될 수 있을지 없을지 예측할 수 있지만, 장담할 수는 없어요. 과연 비틀즈가 150년 후에 살아남을까요? 비틀즈가 150년 후에도 살아 있으려면 당대의 수많은 음악들과 싸우고, 그 싸우는 세월을 또 거쳐야 할 거예요. 그리고 또 1백 년의 세월을 살아남을까요? 글쎄요. 아직은 모르겠어요.

책 중에는 제가 정말 좋아하는 밀란 쿤데라의 『참을 수 없는 존재의 가벼움』은 아직 1백 년이 안 된 책인데 제가 보기에 이 책은 1백 년은 넘길 것 같아요. 그런데 도스토예프스키, 셰익스피어의 작품처럼 살아남을 수 있을까요? 어떻게 하면 살아남을까요? 살아남은 것들은 과연 어떤 무기를 가지고 있는 것일까요?

지금까지 살아남아 고전이 된 모든 것들을 우리는 무서워해야 해요. 하지만 되려 무시하기 일쑤죠. 우리들, 특히 젊은 청춘들에게 고전은 사실 지루해요. 매일 새롭게 터져 나오는 것들에 적응하며 살기에도 바쁘기 때문이겠죠. 계속 변하는 세상의 속도에 가장 빠르게 적응하는 사람들인 만큼 고전을 뒤돌아볼 여유가 없어요. 그런데 생각해보길 바랍니다. 뭐가 더 본질적인 걸까요? 오늘 나타났다가 일주일, 한 달 후면 시들해지는 당장의 유행보다 시간이라는 시련을 이겨내고 검증된 결과물들이 훨씬 본질적이지 않을까요?

소림명월도, 월광소나타

이전에 언급했지만 〈소림명월도〉는 김홍도가 1745년에 그린 스산한 숲 속의 밝은 달 그림입니다. 〈월광소나타〉는 베토벤이 1801년 만든 작품으로 원래 제목은 〈월광〉이 아닙니다. 독일의 음악평론가 레루슈타프가 베토벤의 〈피아노 소나타 14번〉의 1악장을 듣고 이 곡이 달빛을 떠올리게 한다고 해서 붙인 이름입니다. 비슷한 시기에 살았지만 김홍도와 베토벤, 이 두 예술가는 서로의 존재를 전혀 모릅니다. 분야도 다르죠. 하지만 둘 다 달과 관련된 작품을 남겼고, 21세기를 살고 있는 저는 〈소림명월도〉 앞에서 〈월광소나타〉를 떠올립니다. 달을 보면 그 두 예술가가 느꼈을 감정이 되살아나는 느낌입니다. 그 사람들은 몇백 년이 지난 사람에게까지 시대를 뛰어넘어 자신의 감정을 전달하고 있습니다. 위대하죠. 이처럼 지금 현재뿐만 아니라 전혀 다른 시대 사람과의 본질적인 교감이 있다면 우리 인생은 더 풍요롭지 않을까요?

물론 이미 클래식이 일상에 너무 많이 노출이 되어 큰 감흥이 없다는 것은 이해합니다. 무언가에 감동하려면 머리가 쩍 갈라지는 것 같은 충격이 있어야 하는데 없어요. 지하철 안내 방송으로 비발디의 〈사계〉를 듣고, 새벽 쓰레기차 소리로 베토벤의 〈엘리제를 위하여〉를 들었어요. 공공시설의 흔한 BGM으로 클래식이 쓰입니다. 그러니까 베토벤도,

비발디도 그저 씹다 버린 껌처럼 느끼기 쉬운 것이죠.

물론 나쁘다는 이야기가 아닙니다. 프라하를 여행했을 때 체코 항공을 이용했는데, 프라하의 바츨라프 하벨 공항에 착륙할 때 비행기에서 체코의 음악가 스메타나의 〈나의 조국〉이 흘러나왔어요. 그때 소름이 돋으면서 '아, 내가 프라하에 왔구나' 싶었죠. 그리고 그 음악을 제대로 듣고 싶어서 호텔에 도착하자마자 밖으로 나가 스메타나 〈나의 조국〉 전곡이 들어 있는 CD를 샀어요. 이 곡은 딸아이가 클래식 중에서도 여전히 손꼽는 음악입니다.

위에서 언급한 우리의 문제라는 것은 클래식에 아무런 호기심이 생기지 않는다는 겁니다. 아무런 의미 부여도 없고, 그저 쉽게 듣고 스치는 음악이 됐어요. 그리고 이렇게 된 데에는 교육의 탓도 큽니다.

얼마 전에 경기 지역의 교사 4백 분에게 강연을 했습니다. 선생님들이 어떻게 하면 창의력이 있는 아이들로 기를 수 있냐고 물었습니다. 그 물음에 저는 느끼게 해달라고 말씀 드렸습니다. 느끼게 해주면 됩니다. 강요하지 말고 느끼게 해주면 되는데, 저 또한 한 번도 느끼는 교육을 받아본 적이 없습니다. 비발디의 〈사계〉를 외워라, 봄 여름 가을 겨울 4악장이고 한 악장에 세 곡씩 들어가 있다, 들어보고 악장 별로 특징 외워, 시험 본다. 반 고흐도 외워, 〈별이 빛나는 밤〉〈해바라기〉 다 이 사람 작품이니까 이것도 외워, 폴 고갱이랑 친구야 외워. 이렇게 강요된 권위로 예술을 접했어요. 서울대 권장도서 100권, 이런 것도 마찬가지예요. 『파리 대왕』 『일리아드』 『카라마조프 형제들』 이런 작품들을 무조건 읽으라고 하죠. 그러니 뭘 봤겠어요? 요약을 봤죠. 그건 마치 캔 속에 들어간 음식, 가공 식품을 먹는 것과 같아요. 그걸 먹고 감동을 느끼겠어요? 맛이 있을 리 없어요. 그 좋은 작품들이 재미가 없는 거예요. 좋아도 좋은 걸 알 수가 없어요.

그래서 저는 어린 시절 제가 받은 교육을 생각하면서 선생님들께 부탁이니 딱 한 번만 효율을 포기하고, 구할 수 있는 가장 좋은 스피커를 가져다 놓고 아이들에게 비발디의 음악을 들려주라고 했습니다. 분명 그중 반 이상은 감동을 받아 소름이 돋을 것이고 그러면 그걸로 됐다고, 그 이후로는 스스로 찾아 들을 것이라고 말씀드렸습니다.

많이 가르치는 건 중요하지 않다고 생각해요. 서울대 권장도서 100권을 꼭 읽고 외우지 않아도 인생은 얼마든지 풍요로울 수 있습니다. 방법만 알면 아이들은 자신에게 좋은 것을 알아서 찾을 테니까요.

당신이 아는 첨성대는 과연?

저는 기회가 된다면 선생님들과 '경주 수학여행 가지 맙시다' 캠페인을 벌이고 싶습니다. 저는 경주를 고등학교 수학여행으로 처음 가봤습니다. 한 반에 70명인 남자고등학교의 수학여행은 상상불가입니다. 버스 열 대에 빼곡히 나눠 탄 아이들은 호시탐탐 선생님의 눈을 피해 수학여행 온 다른 학교 여학생들과 놀 궁리, 밤에 몰래 소주 한잔 마실 궁리뿐이고 이를 모를 리 없는 선생님들의 목표는 오직 하나죠. 사고 없이 돌아가는 겁니다. 그러니 선생님들 입에서 욕만 나오고 아이들은 눈치만 보는 여행을 하죠. 그때 기억나는 게 첨성대에 갔을 땐데, 첨성대 앞에 관광버스가 서고 선생님이 "저기 보이는 게 첨성대인데 40분을 줄 테니 보고 와"라고 했어요. 늦는 새끼 각오하라는 말과 함께요. 막 뛰어

첨성대

가서 첨성대를 흘깃 보고 '뭐야 작잖아, 별거 아니네' 하고 돌아와 '신라장'에서 기어이 소주를 한잔 나눠 마시며 수학여행의 마지막 밤을 보냈습니다.

그런 일이 있고 10년 후, 지인이 경주에 가자는데 저는 "첨성대 조그맣고 불국사는 오르내리는 데 괜히 다리만 아파, 볼 거 없어 경주"라고 했습니다. 그런데요, 첨성대는 별 볼 일 없지 않아요. 신라인의 우주관이 담겨 있는 건축물입니다. 들어보세요.

> 몸체는 모두 27단으로 되었는데, 맨 위에 마감한 정자석(井字石)과 합치면 28, 기본 별자리 28수(宿)를 상징한다. 여기에 기단석을 합치면 29, 한 달의 길이를 상징한다. 몸체 남쪽 중앙에는 네모난 창이 있는데 그 위로 12단, 아래로 12단이니 이는 1년 12달과 24절기를 상징하며, 여기에 사용된 돌의 숫자는 어디까지 세느냐에 따라 다소 차이가 있지만 362개 즉 1년의 날수가 된다.
>
> 뿐만 아니라 첨성대는 태양의 움직임을 관측하는 기준이 되는 일정한 기능도 했다.
>
> 기단석은 동서남북 4방위에 맞추고 맨 위 정자석은 그 중앙을 갈라 8방위에 맞추었으며 창문은 정남이다. 정남으로 향한 창은 춘분과 추분, 태양이 남중(南中) 할 때 광선이 첨성대 밑바닥까지 완전히 비치게 되어 있고, 하지와 동지에는 아랫부분에서 완전히 광선이 사라지므로 춘하추동의 분점(分点)과 지점(至点) 측정의 역할을 한다.

유홍준의 『나의 문화유산답사기 1』에 나오는 첨성대의 설명입니다. 여러분은 지금 이 첨성대의 원리를 읽는 데 몇 분 걸리셨나요? 5분도

채 안 되는 이 이야기를 수학여행 때 들었다면 그때 제가 첨성대를 보고 그렇게 쉽게 '별거 아니네' 했을까요? 아마도 경이롭게 바라봤을 겁니다. 감탄했을 거예요.

그러니까 준비할 수 있어야 해요. 클래식, 고전을 만나기 위해서는, 함부로 씹다 버린 껌처럼 여기지 않으려면 준비해야 합니다. 우리가 안다고 생각하는 것이 우리가 알아야 할 것을 가리고 있다는 말을 자주합니다. 우리는 첨성대를 알고, 비발디를 알고, 도스토예프스키를 압니다. 하지만 진짜 알까요? 잘 생각해보세요.

진짜 알려면 관심을 가져야 합니다. 그러면 궁금해질 겁니다. 그 대상의 본질에 대해서. 그리고 그걸 알기 전에는 안다고 생각하는 것이 위험합니다. 모르면 모른다고 해야 합니다. 단순히 '비발디 좋지. 바로크 알아. 모차르트 피아노 협주곡 그거 영화 〈엘비라 마디간〉에 나오는 건데' 이러지 않았으면 좋겠습니다. 정보는 인터넷으로 조금만 찾아보면 다 나옵니다. 알려고 하기 전에 우선 느끼세요. 우리는 모두 유기체잖아요? 고전을 몸으로 받아들이고 느껴야 해요. 그러다 보면 문이 열려요. 그 다음에는 막힘 없이 몸과 영혼을 타고 흐를 겁니다.

저의 경우 클래식 음악을 몸으로 받아들이기 시작한 건 대학 때였습니다. 어느 날 친구 집에 맥주나 한잔 하자고 놀러 갔는데 커다란 오디오가 있었어요. 친구가 LP를 하나 걸어줬습니다. 눈을 감고 가만히 음악을 듣는데 갑자기 강물이 보이기 시작하는 거예요. 청각이 시각화되어서 강물이 보이고, 그 강물이 흘러가고 그러다 물줄기가 점점 거세졌습니다. 친구에게 곡명을 물어보니까 스메타나의 교향시 〈나의 조국〉 중 '몰다우'라는 곡이었습니다. 몰다우 강을 묘사한 곡이라는 이야기를 듣고 깜짝 놀랐습니다. 음으로 묘사한 것이 나에게 그대로 시각화되어 전달된다는 사실에 전율했죠.

그다음부터 클래식 음악을 찾아 듣기 시작했습니다. 라디오에서 클래식 채널을 듣고, TV에서 관련 음악 프로그램을 보고, 책을 읽고, 영화를 봤습니다. 알면 알수록 궁금한 것들이 늘어났지만 또 그만큼, 내가 아는 만큼 더 많이 보고 듣고 느낄 수 있었습니다.

군에서 제대를 한 후였어요. TV를 잘 보지 않는데 목요일 밤 11시에 하는 〈명곡의 고향〉은 꼭 봤어요. 그리고 PD를 꿈꿨죠. 〈명곡의 고향〉 같은 프로그램을 만들고 싶었거든요. 그걸 보면서 아, 언젠가 내가 저걸 만들면 참 좋겠다 했습니다. 그러던 차에 인켈(inkel) 광고 공모전에 참가했어요. 클래식 음악에 빠져 있던 당시의 저답게 '음악은 세 번 태어납니다'라는 카피로 광고를 만들었어요.

음악은 세 번 태어납니다.
베토벤이 작곡했을 때 태어나고
번스타인이 지휘했을 때 태어나고
당신이 들을 때 태어납니다.
음악이 세 번째 태어나는 그 순간,
인켈이 함께 합니다.

음악은 세 번 변한다, 베토벤이 작곡할 때 처음 태어난 뒤 지휘자의 해석에 의해 다시 태어나고, 듣는 사람의 감정 상태에 따라 세 번째 태어난다는 이야기였죠. 이 첫 공모전에서 수상을 했어요. 그게 계기가 돼서 광고도 재미있다는 생각을 하게 됐고, 두 번째 공모전에 나갔고 광고 관련 논문을 한 편 쓰고 광고에 관심을 갖게 됐어요. 사실 그 전까지 광고는 내 바깥이었죠. 자존에서 말했던 점이네요. 처음 친구 집에서 스메타나의 음악을 들으면서 그 경험이 내 인생에 무슨 의미가 있을지 어떻게 알았겠어요? 클래식이라는 점이 별을 만들어준 셈이죠.

뿐만 아니라 클래식 음악은 제 삶을 풍요롭게 해주는 매우 큰 존재예요. 어느 날 이사다 뭐다 집안일로 지쳐 집사람과 아무 말 없이 소파에 앉아 별 기대 없이 음악을 틀었는데, 베르디의 오페라 〈라 트라비아타〉가 흘러나왔어요. 그때 둘 다 표정이 바뀌었죠. 그 힘든 와중에도 집중이 되면서 기분이 좋아지는 거예요. 음악이라는 건 진짜 좋은 것이라고 아내와 이야기했던 게 잊히지 않아요. 아내와 이런 이야기를 종종 하는데, 물론 요즘 음악도 좋은 것들이 많지만 클래식 음악을 들으면 이래서 클래식이구나 싶어요. 아무리 좋다고 해도 클래식처럼 깊은 감동을 주는 것들이 없어요. 시간을 이겨냈다는 것이 이런 것이구나, 라는 생각이 강하게 들죠.

시간을 이겨낸 고전 중에 소설과 음악 외에도 그림이 있죠. 제가 그림에 대해 궁금해 하기 시작한 때는 30대 중반이었어요. 처음 곰브리치의 『서양미술사』를 읽고 충격을 받았고 그때부터 그림에 대해 관심을 갖기 시작했어요. 그리고 해외 출장 중에 잠깐 짬이 생기면 미술관을 찾아 다녔죠. 찾아가서 무슨 전시든 전시가 있으면 다 봤어요. 책으로만 보다가 눈으로 직접 다시 본 느낌은 또 달랐어요.

한번은 호주 멜버른에서 3일간 촬영 일정이 있었는데요. 촬영을 모두 마치고 마지막 하루, 반나절이 남아서 한 미술관을 찾아갔더니 〈뭉크 특별기획전〉을 하고 있더라고요. 〈절규〉로 유명한 뭉크를 워낙 좋아하기도 했지만, 그 미술관에서 사람의 심리묘사를 탁월하게 해낸 그림들을 보고 뭉크라는 미술가에 홀딱 빠져버렸습니다. 하도 감동적이

어서 잘 못 그리는 그림이지만 오래 기억하고 싶어, 대충 스케치해 메모로 남겨놓기까지 했어요.

세 가지 감정을 나타낸 연작이었는데 〈Attraction Ⅱ〉는 남자와 여자가 가깝게 쳐다보고 있는 그림이에요. 두 번째 〈Separation Ⅱ〉는 무표정한 남자의 정면과 여자의 옆모습이고 마지막으로 〈Jealousy〉는 화를 내는 남자 뒤에 한 남녀가 서 있는 실루엣이 보여요. 대단하지 않습니까? 한 장의 그림 안에 인물의 표정과 각도 하나로 사람의 심리를 정확하게 표현하는 것이 정말 놀라웠죠.

그리고 그 옆에 있던 〈The Death Bed〉라는 작품. 그 작품을 실제로 보면 죽음의 냄새가 나는 것 같아요. 압도적이었어요. 그다음에 본 그림은 〈The Three Stages of Woman〉인데 막 커나가려는 여자 아이, 섹시한 여자, 할머니가 한 장에 들어가 있어요. 생각해보세요. 한 여자의 일생, 그 그림을 보면 소설보다 많은 이야기들을 찾을 수 있어요. 대단하죠.

이렇게 그림 하나가 나를 이야기 속으로 데리고 갔어요. 공간 이동을 하는 겁니다. 이 경험을 하고 나서 그림이 더 궁금해졌어요. 처음 그림을 볼 때는 감동을 짜내려고 미간에 힘을 주기도 했었는데, 아무리 해도 감동이 안 와요. 그래서 책을 몇 권 살펴 읽었고, 조금 알고 나니까 이런 것들이 보이기 시작했고 감동을 받을 수 있게 됐죠. 조금 더 덧붙이자면 그날의 감동은 제일 좋아하는 음악을 들을 때보다 컸어요. 죽음의 냄새를 맡고 그림 한 장이 주는 스토리를 읽고 화가의 천재성을 발견할 때 짜릿하죠. 그러니까 뭉크의 이 그림이 당장 제 일에 반영이 안 된다고 해도 그걸로 저는 충분히 행복했어요. 지금도 그날의 감동을 떠올리면 행복하고요.

에드바르 뭉크, 〈Attraction Ⅱ〉, 1896년, 석판, 39.5×63.5 cm, 갤러리 K.
에드바르 뭉크, 〈Separation Ⅱ〉, 1896년, 석판, 41×63 cm, 갤러리 K.

에드바르 뭉크, 〈Jealousy〉, 1895년, 캔버스에 유채, 67×100 cm, 베르겐 미술관.

에드바르 뭉크, 〈The Three Stages of Woman〉, 1894년, 캔버스에 유채, 164×250 cm, 베르겐 미술관.

이야기가 나온 김에 슈투트가르트의 기억도 말씀 드릴까요? 슈투트가르트는 발레로 유명하지만 인구 50만 정도의 작은 도시예요. 그곳도 역시 일 때문에 출장을 갔었던 곳이죠. 마침 돌아오는 날 비행기 출국 시간이 오후였어요. 오전 시간이 아까워 공항에 가기 전에 근처 미술관을 찾아 갔더니 마침 현대미술전을 하고 있었어요. 당시만 해도 저에게 현대미술은 『새로움의 충격』이라는 책과 퐁피두에서 본 현대미술전이 전부였어요. 그런데 그곳에서 퐁피두에 이어 두 번째 현대미술전을 보게 된 겁니다.

오전이었고, 사람이 별로 없어 한적했어요. 그런데 큐레이터가 전시를 정말 잘 해놨더군요. 칸딘스키의 작품이 어떻게 변해 나가는지 복도를 지나면서 볼 수 있게 했어요. 피카소가 어떻게 발전했는지, 아, 이래서 점·선·면이구나, 이래서 이 사람이 음악처럼 미술을 분해했구나, 처음에는 이렇지 않았구나, 구상이 비구상화되는 과정이구나를 느낄 수 있었어요. 정말 기뻤죠. 그때 봤던 것 중 하나가 박스 같은 형체에 사람 얼굴을 그려둔 작품인데요. 피카소는 계속 고민을 한 거예요. 사람 얼굴은 입체인데 그림은 왜 평면인 거지? 그런 고민 끝에 자신의 그림을 그런 방식으로 완성시킨 겁니다.

전시뿐만이 아니에요. 언젠가 엑상프로방스의 생트 빅투아르에 직접 가서 돌산을 내려다보는데 세잔의 그림이 떠올랐습니다. 그날은 바깥에서 10분만 있어도 눈앞이 몽롱해질 정도로 정말 더운 날이었는데, 생트 빅투아르 산의 선들이 흐릿하게 보일 정도였죠. 저쪽에 있는 농가는 그냥 지붕과 벽이 있는 가로 세로 각각의 큐빅 하나가 서 있는 것 같았습니다. 산을 이루고 있는 바위덩어리들은 그냥 각만 살아 있는 것처럼 느껴졌고요. 그러다 문득 세잔의 생트 빅투아르 그림의 변화를 이해하

겸재 정선, 〈금강전도〉, 1734년, 종이에 수묵담채, 130.6×94.1 cm, 국보 제217호, 호암미술관.

게 됐어요. 그가 생트 빅투아르를 그린 초기작들은 디테일이 살아 있어요. 그런데 뒤로 갈수록 붓 터치만으로 툭툭 그려나가죠. 이처럼 직접 보고 그런 것들을 알게 됐을 때, 고전에서 삶의 희열을 느끼게 되곤 합니다.

우리나라 옛 그림도 마찬가지입니다. 겸재 정선의 〈금강전도〉를 보시면 이 그림은 조감도입니다. 헬리콥터에서 아래를 내려다본 시선이에요. 그런데 겸재 시절에 헬리콥터가 어디 있겠어요. 게다가 〈박연 폭포〉를 보면 그림은 작은데 폭포는 웅장하게 표현되어 있죠. 그걸 어떻게 잡아냈느냐 하면 폭포를 길게 그렸어요. 그 대비감으로 폭포의 웅장함을 나타낸 거죠. 저도 유홍준과 오주석의 책들을 통해 알게 된 것입니다. 알고 보면 그 작품들이 단순한 옛 그림들이 아닌 것이죠.

클래식 음악이 주는 기적

다시 음악으로 돌아가볼까요? 어느 날 비 오는 날이었는데 차가 막혀서 한 시간 넘게 차 안에 있어야 했고, 광고주 부장급 대상으로 하는 강의에 이미 늦은 상태였어요. 패닉이었죠. 100명이 나를 기다리고 있는데 차는 움직이지 않는 상황. 말 그대로 미치겠더라고요. 그런데 CD에서 가야금 캐논이 흘러나왔어요. 흐르는 선율에 맞춰서 빗방울이 보닛 위로 떨어지는 걸 보니 마음이 차분해지더라고요. 한 곡이 끝나면 다시 성질이 나다가 다음 곡이 나오면 또 잠잠해지고. 제가 들어본 가야금 연주 중 최고를 발견했죠.

집으로 돌아와 아이에게 캐논을 들어보자 하고 각각 다른 버전으로 들려줬어요. 집에 총 네 장의 캐논 앨범이 있었는데, 그중 가야금 캐논을 듣자 애가 갑자기 말이 없어져요. 그리고 부엌에서 설거지를 하던 아내가 탁 하고 물을 잠그더군요. 가족이 모여 앉아 5분 동안 아무 말 없이 그 음악을 들었어요. 보배로운 순간을 또 한 번 경험했죠. 10년 전의 일인데 지금도 생생하게 다 기억이 납니다. 죽을 때까지 기억날 장면, 정말 가져가고 싶은 순간, 물소리가 탁 멈추고 집사람이 앉던 순간. 내 삶의 진주알입니다.

음악만 틀어놓으면 기적적인 변화가 일어납니다. 진짜 순간적으로 공간이 변하는 걸 느낍니다. 슈베르트의 〈죽음과 소녀〉〈숭어〉〈바이올린 협주곡〉, 이런 곡들을 들을 때 몸이 음악을 따라 떠오르는 걸 느낍니다. 〈죽음과 소녀〉의 경우 첫 음을 바이올린 현이 쫙 잡는데 나를 탁 끌어 올려요. 그 상태로 끝날 때까지 놔주질 않습니다. 음악이 나를 공중에 띄워놓는 감동이 있어요.

차이코프스키의 〈바이올린 협주곡〉은 음악 속에 드라마가 있죠. 제 마지막 순간에 제게 들리는 음악이 차이코프스키의 〈바이올린 협주곡〉 클라이맥스였으면 좋겠다고 종종 이야기합니다. 정말로, 그게 제 마지막 기억이었으면 좋겠어요. 슈베르트의 〈아르페지오네를 위한 소나타〉를 들을 때는 피아노 첫 두 음에 무릎의 힘이 탁 풀려요. 기적이죠. 이런 감동을 주는 게 세상에 또 어디 있을까요?

제가 좋아하는 모든 클래식 곡들은 직업적으로도 도움이 될 거예요. 하지만 그런 기능적인 측면이 아니라고 해도 클래식 음악을 알고 있다는 게 참 다행스러워요. 살면서 베토벤의 월광을 듣고 소름이 돋을 수 있으니까요. 그렇지 않으면 이 풍요로움을 놓치고 사는 거잖아요. 지금도 많은 사람들이 클래식 음악을 지루하다고 생각하고, 음악회에 가자고 하면 몸을 배배 꼴 수도 있어요. 그런데 조금만 노력해서 문만 열어두면 풍요로운 인생을 살 수 있다고 믿어요. 오죽하면 제가 죽기 전에 마지막으로 듣고 싶은 음악이 차이코프스키의 〈바이올린 협주곡〉이겠습니까.

대학생이 된 딸아이가 미술사에서 철학으로 전공을 바꿨다고 하길래 무조건 그렇게 하라고 했습니다. 누구는 철학을 공부해서 뭐 먹고 살겠느냐고 하는데, 제 생각에 철학은 하나도 버릴 게 없는 학문이라고 생각합니다. 어떤 직업이라도 철학은 도움이 되죠. 본질적이니까요. 그런 점에서 고전, 클래식도 마찬가지입니다. 지금 제 모습에 만족할 수 있는 저를 만든 가장 큰 동력은 바로 고전에 대한 궁금증이었습니다.

고전을 궁금해 하세요. 여기저기 도움도 받고, 책을 통해 발견해내면서 알려고 하세요. 클래식을 당신 밖에 살게 하지 마세요. 클래식은 삶을 풍요롭게 해주는, 즐길 대상입니다. 공부의 대상이 아니에요. 많이 아는 건 그렇게 중요하지 않아요. 얕게 알려고 하지 말고, 깊이 보고 들으려고 하면 좋을 것 같습니다.

여러분이 들고 있는 가방이 명품이 아니에요. 그 가방은 단지 고가품일 뿐이죠. 명품은 클래식입니다. 고가품과 명품을 헷갈리지 말고, 진정한 명품의 세계로 들어가시길 바랍니다.

見

4강

견

이 단어의 대단함에 관하여

見 ː 이 글자에 주목하게 된 건
　 ː 창의성이 무엇이냐는 질문

내가 읽은 걸 붉게 봤다
정형화 되지 않는 ... 그래도...
공통점 ː 주변에 있더라
　그그게 보일수도 안보일 수도
그 例들. - 다는 봄야의 Backup.
펄인 칠러. 詩. 러스킨
생각의 탄생. 앙드레 지드.
낯힌 단어 - 들여다 보기.
　애정을 가지고 봐라...
끄느바. 고은. 말을 끄다.
도동환. 감호. 見者
창의성의 승통성이 더라.
중천의 詩. 봄 - 창의성.
아끼라는 뷰터.
見의 확장 - 창의성이
　꼭 달요치 않아도...

同源, - 행복.
같은 결 보고 느끼는 감흥의 깊이.
아무 것도 아닐 끼 아무 거다.
12유다 즐제냐.
그러기 위해 - 낯설게 봐야.
수박을 처음 봤다면...
여행하듯 봐야면
벗 보듯 봐다면　　　고은의 誌
펄인 칠러.
지드 > 일본. 일즘
° Paris 영화
찬찬히. 띠찟득
더나 볽은 봄 ㅇ 가지 ... 보자
별 끼 없다
슬그의 슴이다
찬찬그 슬근은 슴이다

간장게장 좋아하세요? 밥도둑이잖아요. 알이 꽉 찬 간장게장, 얼마나 맛이 있습니까? 저도 무척 좋아하는 음식입니다. 이제 제가 시 한 편을 읽어드릴 텐데, 시를 읽고 난 2분 뒤 여러분은 간장게장을 못 먹게 될지도 모릅니다. 저는 이 시를 읽고 정말 더는 먹지 않습니다. 못 먹겠어요. 들어보세요. 안도현의「스며드는 것」이라는 시입니다.

꽃게가 간장 속에
반쯤 몸을 담그고 엎드려 있다
등판에 간장이 울컥울컥 쏟아질 때
꽃게는 뱃속의 알을 껴안으려고
꿈틀거리다가 더 낮게
더 바닥 쪽으로 웅크렸으리라

버둥거렸으리라 버둥거리다가
어쩔 수 없어서
살 속에 스며드는 것을
한때의 어스름을
꽃게는 천천히 받아들였으리라
껍질이 먹먹해지기 전에
가만히 알들에게 말했으리라

저녁이야
불 *끄고* 잘 시간이야

간장게장을 담글 때 게를 죽이지 않습니다. 살아 있는 게에 간장을 부어 삭히는 거죠. 살이 살아 있어야 하니까요. 이 시를 아침에 읽었는데 힘이 다 빠졌어요. 우리 딸아이는 '울컥울컥 쏟아질 때' 부분에서 벌써 울기 시작했고요. 안도현 시인은 참 나쁜 사람이에요. '저녁이야 불 끄고 잘 시간이야'라니 어쩌라는 겁니까. 꽃게에 대해 어떻게 이런 이야기를 하죠?

이제 게 좋아하는 사람들끼리 반성을 하면서 4강 '견(見)'에 대한 이야기를 시작합시다. 그런데 왜 강의 시작 전에 이 시를 읽어드렸느냐, 이 시가 제가 오늘 이야기할 주제의 반이기 때문입니다.

여러분, 이 시를 읽기 전에 꽃게를 몰랐습니까? 한 번도 먹어본 적 없습니까? 저는 수없이 많이 먹어봤지만 단 한 번도 이런 시선으로 꽃게를 본 적이 없습니다. 이게 시인의 힘입니다. 똑같은 꽃게를 보고 다른 것을 읽어낼 수 있는 힘, 그 힘은 안도현 시인의 눈에서 시작되는 겁니다. 눈으로 보는 것, '견(見)'이 누구에게는 힘이 되는 거죠.

　제가 見, 이 단어를 주목하게 된 이유는 직업 때문이었습니다. 광고 업계에서 카피라이터로 일하다 보니 강의 요청을 받곤 합니다. 15년 전쯤, 제가 CD가 됐을 때니 1998년쯤이겠군요. 처음에는 카피라이팅 강의, 마케팅 강의를 해달라던 사람들이 언젠가부터 창의력 강의를 해달라고 하더군요. 그런데 창의력은 가르칠 수 있는 주제가 아니에요. 생각해보십시오. 전 세계를 뒤져도 창의력 학과는 없습니다. 만들어놓으면 학생이 몰려들 텐데 왜 안 만들까요? 안 만드는 게 아니라 못 만드는 겁니다. 창의력이라는 것은 규격화할 수 없고 전달할 수 없기 때문입니다. 기술이나 이론은 만들 수 있어요. 법도 판례를 남겨 참고가 되도록 하죠. 그런데 창의력은 지난 번 것이 참고가 되지 않습니다. 만약 상자 안에 넣을 수 있는 것이라면 더 이상 창의력이 아니겠죠. 그러니 창의력은 가르칠 수 있는 게 아니죠. 창의력을 기를 수 있는 단 하나의 교실이 있다면 바로 현장입니다.

　얼마 전 어느 일간지와 진행하려던 프로젝트가 있었는데, 제가 인터뷰어가 돼 창의적인 인터뷰이를 만나 인터뷰 하는 것이었습니다. 그때 제안한 것이 말하는 사람이 아닌 현장에서 몸으로 부딪히는 사람을 만나자는 것이었습니다. 장한나, 이창동, 김용택, 알랭 드 보통 등 무언가를 만드는 사람들을 만나고 싶었습니다. 저는 말로 창의력이 나오지 않는다고 생각합니다. 창의력은 현장에 있으니까요. 이것은 매우 굳건한 개인적인 믿음입니다. 그런데 이런 믿음을 가지고 있는 저에게 창의력 강의를 해달라고 하니 참 난감했습니다. 모두를 현장에 불러 세울 수도 없는 노릇이고, 어떻게 해야 하나 고민하면서 신입사원 때 들었던 창의력 강의를 떠올렸습니다.

광고회사 신입사원이었으니 카피라이터 교육 등 창의성에 관한 다양한 강의를 들었는데, 기억에 남는 것이 창의성에 대한 강의임에도 모든 형식을 규격화시키는 내용들이었다는 겁니다. 예를 들면 좋은 헤드라인을 쓰는 20가지 방법 같은 것들 말이지요. 당시 광고계 4대 천황 중 한 분이 강의를 하셨는데, 이런 식이었어요. 1번 부정문을 써본다, 2번 의문문을 써본다, 3번 나를 주어로 써본다, 4번 너를 주어로 써본다. 이런 식으로 20가지의 방법을 알려줬습니다.

사실 25년 동안 카피를 쓰면서 한 번도 이런 방법을 사용한 적이 없습니다. 제가 쓴 카피 중 '그녀의 자전거가 내 마음속으로 들어왔다'를 예로 들면, 그녀의 자전거가 내 마음속으로 들어왔다, 내 마음속에 그녀의 자전거가 들어왔다, 나는 그녀의 자전거 속으로 들어갔다, 이렇게 써본 적이 없다는 겁니다. 물론 당시 그분의 이야기도 카피를 잘 쓰고 싶은 사람들의 궁금증을 두 시간 안에 풀어주기 위한 하나의 방법이었다는 걸 지금은 알겠습니다. 하지만 그것은 물처럼 흐르는 것을 가둬놓으라는 것과 다를 바 없었습니다. 패착(敗着)이었죠.

그래서 그렇게는 하지 말아야겠다고 생각하고 창의력에 대해 뭘 이야기해야 하나 고민하다가 제가 만든 광고들을 다시 봤습니다. 제가 만든 광고가 창의적이기를 간절히 바라기는 하지만 판단은 제가 내리는 것이 아닌데요. 그럼에도 불구하고 제 광고를 창의적이라고 본다면 이 광고들의 아이디어를 어디서 찾아냈는지를 먼저 살펴보자고 결론을 내렸던 겁니다.

아이디어의 시작, 경험

　그렇게 아이디어를 얻은 순간들을 하나둘 복기해보니 전부 경험이었습니다. 경험, 제가 보고 겪은 것들. 말하자면 그 아이디어들은 제가 본 것이 아니면 나올 수가 없었던 겁니다. 제 머릿속 327번 셀(cell)에 들어가지 않았다면 절대로 나올 수 없었어요. "사람 안에는 사람이 있습니다. 사람을 향합니다"라는 카피의 광고를 기억하십니까?

　　왜 넘어진 아이는 일으켜 세우십니까?
　　왜 날아가는 풍선은 잡아 주십니까?
　　왜 흩어진 과일은 주워 주십니까?
　　왜 가던 길은 되돌아 가십니까?

　　사람 안에는 사람이 있습니다
　　사람을 향합니다

　이 광고의 아이디어는 어느 날 넘어진 아이를 제가 일으켜 세운 것으로 시작됐습니다. 아이가 넘어져서 얼른 일으켜 세우면서 다치지 않았냐고 물었죠. 그리고 궁금해졌어요. 왜 내가 이 아이한테 이런 행동을 했을까? 이유가 뭘까? 아이 엄마에게 잘 보이기 위해서? 내가 아이를 좋아하는 사람이라서? 박애주의자라서? 전부 아니었어요. 그리고 '나는 왜 그런 행동을 했을까?' 하는 그 물음을 327번째 셀에 넣어놨죠. 그리고 2005년 광고 회의를 할 때, 도대체 사람들이 다른 사람을 배려하는 건 왜일까? 인간이 가지고 있는 기본적인 DNA 아닐까? 하는 이야

〈SK 텔레콤 – 사람을 향합니다〉 광고 중에서

기를 하게 됐어요. 그리고 327번째 셀에 넣어뒀던 질문들, 그때의 상황을 끄집어냈어요. 그러고 보니 우리는 시키지 않아도 아이가 놓쳐서 날아가는 풍선을 잡아주고, 흩어진 사과를 함께 줍고, 넘어진 아이를 일으켜 세우더란 말이죠. 그리고 '사람 안에는 사람이 있습니다. 사람을 향합니다'라는 카피가 나왔습니다.

'나이는 숫자에 불과하다' '넥타이와 청바지는 평등하다'라는 카피도 마찬가지였습니다. 1997년 뉴욕으로 유학을 갔을 때였어요. 첫 수업을 앞둔 어느 교실에서 문이 열리고 60대 백인 아저씨가 5권의 책을 들고 들어왔어요. 당연히 교수인 줄 알았는데 제 옆에 앉더라고요. 알고 보니 〈내셔널지오그래픽〉 편집장인데 그 수업과 관련된 주제가 궁금해서 강의를 들으러 온 것이었습니다. 60대 아저씨가 나와 같은 학생이라는 것에 놀라고 있는데, 조금 있다가 30대 동양인이 들어오더군요. 그리고 강단에 서더니 본인은 'Professor Wang'이라며 한 학기 동안 잘 해보자고 하더군요. 그 사람이 교수였던 거예요. 그 순간을 어떻게 잊겠습니까? 그 경험은 128번째 셀에 집어넣었습니다. 그리고 그 경험에서 '나이는 숫자에 불과하다'라는 카피가 나왔어요. 그 교실의 풍경이 그 말 그대로이지 않습니까?

음악도 마찬가지입니다. '넥타이와 청바지는 평등하다' '나이는 숫자에 불과하다' 'KTF적인 생각'에 쓰인 음악은 〈Take5〉라는 곡입니다. 이 곡을 발견한 데에도 에피소드가 있습니다. 이 경험에 대해 말씀드리기 전에 먼저 알려드릴 것이 저는 '음가평등주의자'입니다. 모든 음이 다 똑같아요. 이 말은 곧 어떤 음악을 제목과 연주자를 모르는 상태에서 상대에게 설명할 길이 없다는 얘깁니다. 나는 음을 내는데 내 음악적 수준을 따라오지 못하는 상대방들은 이해하지 못하죠. (웃음)

그런데 어느 날 우연히 들었던 그 음악이 너무 좋았어요. 그래서 일단 머릿속에 저장해두었습니다. 그 순간에는 그게 어떤 곡인지 알 방법이 없었거든요. 나중에 이 사람 저 사람 붙잡고 '따랏따따따따~랏따' 아무리 해도 다들 모르겠다고 하더라고요. 심지어 1년 후 뉴욕에 갔을 때 음반 가게에서 일하는 흑인에게도 '따랏따따따따~랏따'를 부르며 물어봤는데 마찬가지였습니다. 어쩌겠어요. 결국 포기했죠. 그리고 그때로부터 한참 지난 어느 날이었어요. 딸아이와 함께 센트럴파크에 자전거를 타러 갔는데 세상에, 야외 음악당에서 거리의 연주자들이 그 음악을 연주하고 있는 겁니다. 당장 자전거 핸들을 돌려서 그쪽으로 달려갔죠. 그리고 드디어 그 곡이 데이브 브루벡 쿼텟의 〈Take5〉라는 걸 알아냈습니다. 그렇게 해서 그 음악이 여러 광고에 쓰이게 됐어요.

이렇듯 내가 보지 않고 머릿속에 저장해놓지 않았다면 아이디어는 나올 수 없습니다. 내가 만약 앙리 루소의 〈꿈〉이라는 그림을 보지 않았다면, 그것도 매우 인상적으로 보지 않았다면 SK브로드밴드의 'See the Unseen' 광고의 이미지가 나오지 않았을 겁니다. 비발디에 빠져 있지 않았다면 내가 만든 박카스 광고가 어떻게 나왔을까요? 다 머릿속에 있는 거죠.

제대로 보고 제대로 들어야 한다

자, 그런데 여기 트릭이 하나 있습니다. 머릿속에 있다고 모든 것들이 창의적으로 발현되는 것은 아닙니다. 머릿속에 있으되, 327번, 128

(위) 앙리 루소, 〈꿈〉. 1910년, 캔버스에 유채, 298×204 cm, 뉴욕 현대미술관.
(아래) SK 브로드밴드 광고 이미지.

번처럼 아주 정확한 셀에 새겨져 있어야 하는 겁니다. 흘러간 것들은 잡히지 않습니다. 깊이 새겨져 있는 것들만 잡을 수 있는 것이죠. 즉, 나는 간장게장을 흘려 봤던 것이고, 안도현 시인은 깊이 새겨본 겁니다. 넘어지는 아이를 일으켜 세운 게 살면서 처음이 아니었을 겁니다. 그런데 계속 흘려 보다가 그때 한 번을 깊이 본 것이 아이디어가 된 것이죠. 이래서 볼 견(見)인 겁니다.

視而不見
聽而不聞

심부재언 시이불견 청이불문 식이부지기미(心不在焉 視而不見 聽而不聞 食而不知其味). 마음에 있지 않으면 보아도 보이지 않고, 들어도 들리지 않으며 그 맛을 모른다는 뜻으로 유교 경전 중 〈대학〉에 나오는 말입니다. 우리의 대부분의 행동은 시청(視聽)을 하는 거죠. 간장게장을 먹을 때 그저 흘려 보고 들은 겁니다. 그런데 어느 순간 안도현은 간장게장을 견문(見聞)을 한 거예요. 그 차이입니다. 흘려 보고 듣느냐, 깊이 보고 듣느냐의 차이. 결국 생각해보니 지금까지 나의 경쟁력이 되어준 단어는 '見'이었습니다. 노조도 없고 정년도 없는데다가 언제라도 쉽게 잘릴 수 있는 광고계에서 지금까지 일할 수 있었던 것은 見이 있었기 때문이었죠. 이 단어 덕에 딸아이 등록금을 낼 수 있었고, 앞으로도 제가 딸아이를 졸업시키려면 저는 끊임없이 견문해야 합니다. 다른 방법이 없어요.

見의 범위

그렇다면 이 見의 범위는 어디까지인지 살펴봅시다. 내 눈앞의 것, 내 행동만 잘 본다고 해서 아이디어가 샘솟고 창의력이 솟아나지 않습니다. 때로는 주변의 모든 것들, 예를 들어 회의실에서 하는 한마디, 친구들과의 대화, 지나가는 사람들의 모습에도 주목해야 합니다. 그들의 말을 시청하지 말고 견문해야 하죠. 이게 뭐가 어려운 일이냐 싶겠지만, 어려워요. 왜냐하면 그 말들이 대단하지 않으니까요. 그냥 일상의 언어들일 뿐이에요. 그런데 이걸 견문해서 그 안에서 빛나는 무언가를 발견해내야 해요.

한번은 아파트 광고 회의에서 인턴 사원이 이런 말을 했습니다.

"저는 요즘의 아파트 광고는 싫어요. 매일 예쁜 연예인이 롱 드레스를 입고 나오는데 집에서 드레스 입는 사람이 어디 있어요? 편한 옷을 입고 있잖아요. 그리고 유럽의 성 그림이 나오고 샴페인만 터뜨리는데, 실제하고 너무 동떨어진 이야기 같아요. 배우 누구누구도 아파트 광고를 하는데 실제로 그 아파트에 살지 않는다면서요? 다 거짓말이에요."

사실 이건 정말 인턴다운 이야기입니다. 아파트 광고를 그렇게 만드는 데에는 다 이유가 있습니다. 사람들은 실제와 다르더라도 내가 사는 집이 멋있게 보이길 바랍니다. 그래야 시세가 오르고 팔리니까요. 그러니 그 인턴의 이야기는 그가 아마추어니까 할 수 있는 이야기인 것이고, 흘려 들을 수 있는 이야기입니다. 그런데 그때 '과연 이 친구만 이렇게 생각할까?' 싶었어요. 그래서 그 친구의 말을 정리해봤고, 그게 '대림 e편한세상 – 진심의 시세' 광고가 됐습니다.

> 톱스타가 나옵니다
> 그녀는 거기에 살지 않습니다
> 멋진 드레스를 입고 다닙니다
> 우리는 집에서 편안한 옷을 입습니다
> 유럽의 성 그림이 나옵니다
> 우리의 주소지는 대한민국입니다
> 이해는 합니다
> 그래야 시세가 오를 것 같으니까
> 하지만 생각해봅니다
> 멋있게만 보이면 되는 건지
> 가장 높은 시세를 받아야 되는 건 무엇인지
> 저희가 찾은 답은 진심입니다

> 진심이 짓는다

인턴이고 아마추어임에도 불구하고 솔직하게 이야기해준 인턴사원과 그 인턴의 말을 흘려 듣지 않은 제가 이 광고를 같이 만들어낸 셈입니다. 광고 회사에서는 이런 일이 수도 없이 벌어집니다. 그러니 뭘 주목해야 하느냐? 나의 일상뿐만 아니라 내 주변에 있는 친구들이 던진 말을 시청하지 말고 견문해줘야 하는 겁니다.

그러니 내가 먹고사는 나의 생업을 위해 필요한 창의력, 이것을 설명할 수 있는 한 단어는 오직 '見'뿐이라고 생각하지 않을 수 없었습니다. 이렇게 창의력과 見을 연결시키고 보니 이것을 좀 더 지지해줄 이 야기들이 필요해 책을 찾아 읽다가 정말 깜짝 놀랐습니다. 이미 많은 사람들이 보는 것의 힘에 대해서 말하고 있었기 때문이죠. 소개해볼까 요?

見의 힘을 믿는 사람들

존 러스킨이라는 영국의 시인은 "네가 창의적이 되고 싶다면 말로 그 림을 그려라"라고 했습니다. 누군가가 "뭘 봤니?"라고 물었을 때 그저 "풀"이라고 대답하지 말고, 풀이 어떻게 움직이고 있었고, 잎이 몇 개 있 었는데 길이는 어느 정도였고, 햇살은 어떻게 받고 있었으며 앞과 뒤의 색깔은 어땠고, 줄기와 잎이 어떻게 연결되어 있었는지 등 자세하고 소 상히 그림 그리듯 말하라는 것이었죠. 이것은 즉, 들여다보라는 겁니다.

앙드레 지드도 『지상의 양식』에서 "시인의 재능은 자두를 보고도 감 동할 줄 아는 재능이다"라고 했습니다. 시인의 재능은 자두를 보고도 감동하고, 간장게장을 보고도 감동하는 겁니다. 광고장이만 見이 필요 한 것이 아니죠. 이즈음에서 같은 것을 보고 시청을 해서 흘려 버린 저 와 달리, 견문을 해 시를 남긴 도종환 시인의 「담쟁이」라는 시를 소개하 겠습니다.

저것은 벽
어쩔 수 없는 벽이라고 우리가 느낄 때

그때

담쟁이는 말없이 그 벽을 오른다

물 한 방울 없고 씨앗 한 톨 살아남을 수 없는

저것은 절망의 벽이라고 말할 때

담쟁이가 서두르지 않고 앞으로 나아간다

한 뼘이라도 꼭 여럿이 함께 손을 잡고 올라간다

푸르게 절망을 다 덮을 때까지

바로 그 절망을 잡고 놓지 않는다

저것은 넘을 수 없는 벽이라고 고개를 떨구고 있을 때

담쟁이 잎 하나는 담쟁이 잎 수천 개를 이끌고

결국 그 벽을 넘는다

우리 가족이 담쟁이를 발견하면 저에게 이야기해줄 정도로 저 역시 담쟁이를 좋아하지만 저는 그저 시청만 한 것이었습니다. 도종환 시인은 진짜 담쟁이를 본 것이고요. 담쟁이가 가지고 있는 모든 속성이 이렇게 아름답게 표현된 적이 없습니다.

그런데 신이 박웅현은 미우니까 미운 담쟁이만 보여주고, 도종환은 예쁘니까 예쁜 담쟁이만 보여주라고 했을까요? 뭐가 다른 거죠? 저는 그렇게 담쟁이를 좋아하면서 왜 저런 시를 못 썼을까요? 제가 본 담쟁이와 시인이 본 담쟁이가 다른 것이 아닙니다. 보지 못한 제 눈에 그 답이 있는 것이죠.

비둘기가 평화의 상징으로 인식되던 1970~80년대의 전국체전이나 대규모 국가 행사에선 늘 비둘기떼를 하늘로 날려보내며 대미를 장식하곤 했다. 그러나 세월이 흘러 이제는 비둘기가 유해 조수로 지정되었고, 심지어 '닭둘기'로 불리며 도시의 천덕꾸러기 신세가 되었다. 비둘기들 책임일까, 사람들 잘못일까? 도시 전철의 교각 틈바구니에 쇠꼬챙이를 설치하면 비둘기들이 사라질까?

− 한겨레, 2012.09.02, 강재훈 선임기자

말씀 드렸듯 觀은 광고장이뿐 아니라 시인, 그리고 누구에게나 필요합니다. 창의력은 어떤 직업, 어떤 직종에서도 필요한 것이니까요. 앞쪽은 기자의 觀입니다.

저는 이 시선이 참 좋습니다. 아름다워요. 이 기사는 시가 아니지만 저에게는 시입니다. 아무것도 아닌 걸 들여다본 것이니까요. 우리들은 비둘기를 그저 날아다니는 쥐라면서 쫓기 바쁘죠. 그런데 이 기자는 비둘기들이 이렇게 되기까지의 모습을 들여다봤어요. 觀의 힘입니다.

영화 〈시〉를 한 번 볼까요? 여주인공 윤정희 씨가 다른 할머니들과 함께 문화센터에서 시 창작 강의를 듣는 장면이 나옵니다. 거기 실제 김용택 시인이 김용탁 시인으로 출연을 하는데요, 그 김용탁 시인이 할머니들에게 시에 대해 수업을 합니다.

"여러분, 사과를 몇 번이나 봤어요? 백 번? 천 번? 백만 번? 여러분들은 사과를 한 번도 본 적 없어요. 사과라는 것을 정말 알고 싶어서, 관심을 갖고 이해하고 싶어서, 대화하고 싶어서 보는 것이 진짜로 보는 거예요. 오래오래 바라보면서, 사과의 그림자도 관찰하고, 이리저리 만져도 보고 뒤집어도 보고, 한 입 베어 물어도 보고, 사과의 스민 햇볕도 상상해보고. 그렇게 보는 게 진짜로 보는 거예요."

이 장면을 보고 정말 반가웠습니다. 제가 觀을 이야기하는 게 틀린 말이 아니었기 때문이죠. 사과를 자두로 바꾸면 앙드레 지드가 되고요, 간장게장으로 바꾸면 안도현이 되고, 담쟁이로 바꾸면 도종환이 됩니다. 시만 그런가요? 김훈을 보세요. 그가 『자전거 여행』에서 말한 꽃들에 대한 절창을 읽기 전의 꽃과 그 후의 꽃이 달라요. 말기 암환자처럼 떨어지는 목련, 개별자로 태어나는 동백, 꽃이 꾸는 꿈과 같은 산수유, 바람에 날려가 흩어지는 순간이 절정인 매화. 흘려 보던 것들을 들여다보게 해요. 광고, 시, 글 쓰는 모든 것들이 그렇죠. 그림은 다를까요? 음악은요? 다르지 않아요. 모든 것이 다 같습니다.

음악 이야기가 나왔으니 〈아마데우스〉라는 영화를 보면 모차르트가 오페라 〈마술피리〉의 '밤의 여왕 아리아'를 작곡하는 장면이 나옵니다. 그게 사실인지는 모르지만, 술과 음악뿐이던 모차르트에게 장모가 소리치며 잔소리를 하는데 그 모습을 보고 모차르트는 밤의 여왕 아리아의 모티프를 떠올리죠. 심지어 장모의 잔소리도 모차르트에게 음악적 영감이 된 거예요. 매일 듣는 잔소리, 그 잔소리, 아 또 잔소리 하는 순간, 그 각성의 순간이 유레카의 순간이 된 거죠. 사과가 떨어지는 만유인력 발견의 순간이에요. 사과가 처음 떨어졌나요? 아르키메데스가 목욕을 처음 했을까요? 하필 그 순간 대오각성을 했느냐? 바로 시(視)에서 견(見)의 경지로 들어선 것이죠. 적용되는 범위를 보면 정말 見은 매우 중요하고, 그래서 또 무서운 단어입니다.

『생각의 탄생』에 이런 문장이 나옵니다. '발견은 모든 사람들이 보는 것을 보고 아무도 생각하지 않는 것을 생각하는 것으로 이루어져 있다.' 그리고 이것은 모든 천재들의 공통점이라고 이야기해요. 모두가 보는 것을 보는 것, 시청(視聽). 아무도 생각하지 못하는 것을 생각하는 것, 견문(見聞)이죠. 같은 뜻이에요.

결핍이 결핍된 세상에서 제대로 들여다보는 방법

아이디어는 깔려 있습니다. 어디에나 있어요. 없는 것은 그것을 볼 줄 아는 내 눈이에요. Beauty is in the eye of the beholder. 아름다움은 보는 사람들의 눈 속에 있는 법입니다. 눈을 감고 한탄만 하면 소용없습니다. 見의 중요성에 대해 긴 이야기를 했으니, 이제 들여다보는 방법에 대해 이야기해보겠습니다. 보기 위해서는 투자를 좀 해야 합니다. 시간과 애정을 아낌없이 쏟아야 해요. 친구가 되려면 시간이 걸리는 것처럼 보는 것도 시간이 걸립니다. 이렇게 긴 시간 관심을 가지고 보면 친구가 되는 거죠. 안도현은 간장게장의 친구입니다. 도종환은 담쟁이의 친구고요.

물론 우리도 요즘 많이 봅니다. 책도 많이 읽고, 사과도 배도 감도 얼마든지 많이 볼 수 있죠. 그러나 정작 아무것도 보지 않고 있다는 생각입니다. 더 많이 보려고 할 뿐, 제대로 보려고 하지 않기 때문입니다. 헬렌켈러가 이렇게 말했죠. 내가 대학총장이라면 눈을 어떻게 써야 하는지에 대한 필수과목을 만들겠다고. 'How to use your eyes(당신의 눈을 사용하는 법)' 이것은 결핍된 사람의 지혜입니다. 우리가 못 보는 이유는 우리가 늘 볼 수 있기 때문이 아닐까 싶습니다. 결핍이 결핍된 세상이니까요.

하지만 헬렌켈러는 진짜 보는 방법을 알고 있었습니다. 눈이 안 보이는데도 불구하고 말입니다. 앞이 보이지 않아도 그녀는 산에서 온갖 것을 봤어요. 자작나무와 떡갈나무, 나뭇잎의 앞뒷면, 발에 밟히는 낙엽, 자신을 스치며 지저귀던 새, 그 옆의 흐르던 계곡물 소리. 그런데 눈이 보이는 사람들은 정작 산에서 아무것도 보지 못했다고(Nothing in particular) 했어요. 헬렌켈러가 얼마나 기가 막혔을까요? 특별한 게 없었다니요. 자기가 느낀 그 수많은 기적 같은 것들은 다 무엇이었단 말인가, 생각했겠죠.

그러니까 진짜 見을 하려면 시간을 가지고 봐줘야 합니다. 그렇게 시간을 들여 천천히 바라보면 모든 것이 다 말을 걸고 있습니다. 그런데 우리는 들으려 하지 않습니다. 『그리스인 조르바』에서 조르바는 배우지 않았지만 현명한 사람입니다. 바다가 하는 말이 궁금해서 들으려고 노력합니다. 고은 시인도 그렇게 이야기합니다. 새는 새소리로 말하고 쥐는 쥐소리로 말하는데 나는 뭐냐, 지금 도대체 나의 가갸거겨고교는 뭐냐, 모든 것들이 말을 걸고 있는데 아무것도 들으려고 하지 않는, 그저 저만 잘났다는 우리의 가갸거겨고교는 도대체 뭐냐고 합니다.

> 수많은 시간을 오지 않는 버스를 기다리며
> 꽃들이 햇살을 어떻게 받는지
> 꽃들이 어둠을 어떻게 익히는지
> 외면한 채 한 곳을 바라보며
> 고작 버스나 기다렸다는 기억에
> 목이 멜 것이다.

– 조은, 「언젠가는」 중에서

좋죠? 후배가 전해준 시 구절입니다. 이 시 구절에 딱 맞는 장면을 만나 사진을 찍어두었습니다. 행인들이 무신경하게 못 보고 지나치는 순간 세계는 참을성 많은 관찰자에게 그 놀라운 모습을 드러냅니다.

영화 〈아메리칸 뷰티〉에는 시커먼 비닐봉지가 굴러다니는 장면이 나오는데요. 정말 아무것도 아닌 비닐봉지인데 여기가 무서운 포인트입니다. 비닐봉지, 다들 본 적 있죠? 오늘같이 바람이 불면 봉지에 공기가 들어가서 막 굴러다니는데, 보통 우리는 "아우 지저분해" 이렇게 '시청'하고 말죠. 그런데 샘 멘더슨 감독은 거기에 음악을 붙였고, 그 모습은 춤이 됐어요. 그건 제가 볼 때 그 영화에서 가장 아름다운 장면이었어요. 그런데 그 가장 아름다운 장면이 우리 근처에 다 있는 거잖아요? 그 영화를 본 이후 저는 비닐봉지 콤플렉스에 시달려요. 비닐봉지만 보면 어떤 이가 저것을 보고 또 뭘 만들어낼 텐데 싶어서 말입니다.

〈아메리칸 뷰티〉의 비닐봉지처럼 만들어진 것들을 보면 내 주변에 다 있습니다. 이게 바로 제가 見에 대해 하고 싶은 이야기들이었습니다. 처음 창의력 강의를 위해 창의력이 어디서 나오는 것일까 고민하다 見을 발견했고, 그 이후 나와 같은 생각들을 한 수많은 사람들의 이야기를 통해 확신을 얻었습니다. 그리고 지금까지도 계속해서 다른 사람들이 본 것들을 배우고 스스로 들여다보면서 見을 실천하려고 하고 있어요. 지금의 저를 돌아보면 見을 알고 난 뒤 많은 변화가 있었습니다.

제 변화를 설명하기 위해 1강 〈자존〉에서 예로 들었던 『여행, 혹은 여행처럼』에 담긴 다른 이야기 하나를 말씀 드릴게요. 정혜윤 PD가 80세에 한글을 배운, 진천에 사는 한춘자 할머니를 인터뷰했습니다. 할머니는 지금도 신혼 때 군대에 간 남편이 보낸 편지에 답장을 못 한 것이 한으로 남아 있는데, 그 한을 풀기 위해 한글을 배웠답니다. 그리고 함께 한글을 배운 분들이 모여서 시를 썼대요. 정혜윤 PD가 할머니께 시를 쓰니 뭐가 달라졌느냐고 물었습니다. 그랬더니 할머니가 답하길, 이제 들국화 냄새도 맡아보고 돌멩이도 들춰보게 됐답니다. 이를테면 이

전에는 안 보이던 꽃이 보이는 겁니다. 애정을 가지고 보기 시작했거든요. 여든까지 보지 못하던 꽃을 보게 돼서, 시를 쓸 수 있어서 할머니는 행복해 보였습니다.

저는 우리가 왜 인문을 공부해야 하는지에 대해 이렇게 명쾌하게 보여주는 사람을 만나보지 못했습니다. 어떤 학자도 이렇게 말해주지 못했어요.

낯설게 보기의 기적

錢, 이 단어가 저를 먹여 살렸다고 했지만 그것뿐만이 아닙니다. 錢을 통해 그 전까지 볼 수 없었던 것들이 눈에 들어오기 시작하면서 매일 행복한 순간이 눈에 띄게 늘어났습니다. 안 보이던 게 보여서 나이 드는 것도 정말 좋습니다. 바람도 축복이고, 강물도 기적이에요.

반나절 만에 꽃을 피워 올린 매화 봉오리를 봤을 때, 정방형으로 올라오다가 기어코 흰색 꽃이 올라오고 그러다 주황색이 나오고, 그러다 향이 가득한 나리꽃이 올라오는 걸 봤을 때, 란타나라는 작은 꽃이 7가지 색을 가지고 아침, 점심마다 색깔이 변해나가는 걸 봤을 때 행복합니다. 하나하나가 다 황홀한 순간이지요.

이 기적을 뒤늦게 발견해 아쉽지만 다행스러운 건 조금씩 보는 눈이 커지고 볼 수 있는 게 늘어난다는 겁니다. "개 꼬리와 토끼주둥이 봐, 이런 세상에 내가 살고 있다니"라고 한 고은 시인처럼 경지에 오르기는 쉽지 않겠지만 개 꼬리, 토끼주둥이, 그 오묘하게 생긴 것들이 있는 세상에 내가 살고 있다는 게 큰 희열로 느껴질 정도로 풍요로운 인생을 살고 싶습니다.

시를 쓰든 말든, 광고를 하든 말든, 창의적이 되든 말든 다 떠나서 보는 건 정말 중요합니다. 제대로 볼 수 있는 게 곧 풍요니까요. 그래서 인문이라는 단어는 법학, 의학, 과학, 물리학에 다 필요한 거예요. 이런 게 있어야 행복한 상태로 살 수가 있습니다. 우리가 보배롭게 봐야 하는 것은 아무것도 아닌 것을 보는 힘입니다.

아무것도 아닌 것이 아무것인 게 인생이더라.

여러분들보다 몇 년을 더 산 저의 덕담이라고 생각하세요. 아무것도 아닌 것들이 아무것이고, 아무것이라고 생각했던 건 아무것도 아닙니다. 아무것도 아닌 것을 주목할 필요가 있어요.

살다 보면 왜 그 순간이 기억나는지 모르겠는데 기억나는 순간들이 있고, 중요했다고 생각하는 순간은 별로 중요치 않게 되는 경우가 많이 있어요. 그래서 저는 김춘수 시인의 시「꽃」은 '순간'에 적용되어야 한다고 생각해요. 시에서는 '내가 그의 이름을 불러주었을 때 그는 나에게로 와서 꽃이 되었다'고 했어요. 순간도 마찬가지지요. 어떤 순간에 내가 의미를 부여해주어야 그 순간이 내게 의미 있게 다가옵니다. 그래서 내가 어떤 순간에 의미를 부여하면 나의 삶은 의미 있는 순간의 합이 되는 것이고, 내가 순간에 의미를 부여하지 않으면 나의 삶은 의미 없는 순간의 합이 되는 것이에요.

제가 『책은 도끼다』를 썼던 가장 큰 이유도 그와 같은 맥락이었습니다. 주변에 좋은 것들은 많은데 좋은 것을 보는 눈이 없었어요. 제가 뭘

창출하겠습니까? 다만 내 주변에 널린 수많은 좋은 텍스트들을 찾아낸 눈을 공유하고 싶었습니다. 딱 거기까지였죠. 좋은 것은 이렇게 많은데 보는 눈이 없으니, 텍스트를 중심으로 見을 이야기 한 것이 『책은 도끼다』였다면 이번에는 책뿐만이 아니라 우리의 삶에도 매 순간 기적이 일어난다는 걸 이야기하고 싶었습니다.

이 기적을 발견하기 위해서는 예민한 촉수가 있어야 합니다. 예민한 사람들은 안도현 시인의 「스며드는 것」을 듣고 울죠. 그 사람이 덤덤한 사람의 삶보다 풍요롭다는 것에 저는 완전한 한 표를 던집니다. 네 명이 술을 마실 때 그냥 마시는 사람과, "창 밖 좀 봐. 가을비가 내린다" 하는 사람의 삶에는 차이가 있어요. 그러니 순간을 온전히 살리려면 촉수를 예민하게 만드세요. 그래서 다섯 개의 촉각을 가진 동물이 되는 걸 목표로 삼으세요. 『그리스인 조르바』를 쓴 니코스 카잔차키스처럼.

見, 본다는 것은 사실 시간을 들여야 하고 낯설게 봐야 합니다. 지난 시간 고전에 대한 강의에서 말씀드렸던 첨성대 에피소드 기억 나시나요? 천천히 낯설게 봐야 진짜 볼 수 있는 겁니다. 다시 니코스 카잔차키스로 가면 익숙함을 두려워해야 합니다. 고은 시인도 이야기하죠. '떠나라 낯선 곳으로, 그대 하루하루의 낡은 이 반복으로부터'라고요. 그리고 김훈처럼 수박을 보고 깜짝 놀라야 해요. 제 명함에 찍힌 말이 'Surprise me(나를 놀라게 해)!'입니다. 의미를 아시겠죠?

놀라는 것이 능력이라고 생각합니다. 아이들의 능력은 놀라는 거예요. 놀란다는 건 감정이입이 됐다는 거고요. 그리고 다른 사람보다 더 그 현상을 뇌리에 박으면서 경험하는 거죠. 기억하는 가장 좋은 방법은 감동받는 것입니다. 같은 걸 보고 127번째 셀에 집어넣는 사람이 있고 흘려보내는 사람이 있는 거죠. 그러면 두 가지 측면에서 127번째 셀에 집어 넣은 사람이 좋아요. 첫째, 더 창의적이고, 둘째, 더 행복하죠.

見의 중요성을 딸한테 이야기했더니 제 이야기가 이제 지겹다고 해요. 딸아이에게는 새로운 게 없어서 그래요. 'Be yourself'도 20년 들었으면 됐다고 하고 말입니다. 딸아이의 반응에 앙드레 지드처럼 강하게 대답하고 싶었습니다. "온 세상이 태어나는 것처럼 일출을 보고 온 세상이 무너지듯 일몰을 봐라!"라고. 하지만 이렇게 거창하게 이야기했다가 괜히 핀잔만 더 들을 것 같아서 말을 바꿨습니다. "여행을 생활처럼 하고 생활을 여행처럼 해봐"라고요. 다행히 이 이야기에는 눈을 빛내고 궁금해했어요. 그래서 설명했습니다.

"여행지에서 랜드마크만 찾아가서 보지 말고 내키면 동네 카페에서 동네 사람들과 사는 이야기도 하고 벼룩시장에 가서 구경도 하면서 거기 사는 사람처럼 여행하는 거야. 그게 더 멋져. 그리고 생활은 여행처럼 해. 이 도시를 네가 3일만 있다가 떠날 곳이라고 생각해. 그리고 갔다가 다신 안 돌아온다고 생각해봐. 파리가 아름다운 이유는 거기에서 3일밖에 못 머물기 때문이야. 마음의 문제야. 그러니까 생활할 때 여행처럼 해."

어떠세요, 고개를 끄덕이게 되나요? 생활이 여행처럼 된다면 정말 매 순간이 소중하고 안타까울 겁니다. 〈사랑을 부르는, 파리〉라는 옴니버스 영화가 있어요. 주인공이 많은 영화인데, 그 마지막 장면이 뭐냐하면 주인공 중 한 명인 남자가 병원으로부터 전화를 받아요. 병원에서 말하죠. 살기 위해서는 수술을 받아야 하고, 그 수술은 50퍼센트의 확률로 성공할 수 있다고. 자, 감정이입을 한번 해볼까요?

강의가 끝나고 택시를 타고 병원에 갈 거예요. 절반의 확률로 나는 다시 이 거리로 돌아오지 못할지도 몰라요. 어떤 기분일까요? 그저 살 수만 있으면 좋을 거예요. 무심히 길을 걷고, 퇴근하는 인파에 치여 버스를 타고, 별일 아닌 것으로 언성을 높이는 사람들의 모든 순간이 다 부러울 겁니다. 그래요, 이런 마음으로 일상을 봐야 합니다. 3일 후면 떠날 여행지를 대하듯, 50퍼센트의 확률로 다시 볼 수 없는 거리를 거닐듯 그렇게 말입니다.

단, 보는 것이 매우 중요하지만 그 이상으로 중요한 것은 너무 많은 것을 보려 하지 않는 겁니다. 요즘 같은 시대에는 특히 욕심을 부려서 볼 필요가 없습니다. 이미 우리의 삶은 미친 개한테 쫓기듯 정신 없이 돌아가고 있으니까요. 도망가느라, 뛰느라 주변을 돌아볼 여유가 전혀 없죠. 그런데 조금만 생각해보면 쫓길 이유가 전혀 없습니다. 그저 우리의 삶, 나의 삶을 살면 되니까요.

호학심사(好學深思), 즐거이 배우고 깊이 생각하라. 이 말에서 더욱 깊이 새겨야 할 것은 심사(深思)입니다. 너무 많이 보려 하지 말고, 본 것들을 소화하려고 노력했으면 합니다. 피천득 선생이 딸에게 이른 말처럼 천천히 먹고, 천천히 걷고, 천천히 말하는 삶. 어느 책에서 '참된 지혜는 모든 것들을 다 해보는 데서 오는 게 아니라 개별적인 것들의 본질을 이해하려고 끝까지 탐구하면서 생겨나는 것이다'라는 문장을 읽었습니다. 이게 지금의 우리에게 정말 필요한 것 같습니다. 이렇게 되면 길거리의 풀 한 포기에서 우주를 발견하고, 아무 생각 없이 먹는 간장게장에서 새로운 세상을 얻을 수 있습니다. 깊이 들여다본 순간들이 모여 찬란한 삶을 만들어낼 것입니다.

現在

현재

개처럼 살자

現在 : 박경철 짚은 시간 땅,
답은 여기 있다 아님 없다.
박경철 에피소드 하며 더
"꿈이 뭐냐?" - 거기처럼 살자.
강의도 하리다. 지도. 바깥.
오늘과 오월드. 배경. 쟁터두.
萬物 皆備
왜 못하냐 - 머릴 인보니까
머릿을 다는 수에 있으니까
不惑. 滿惑. 잔터이를.
다들 답이 인정. 내 답의
동시 인정. 그러이 !/
그담은 내 답이 어디다
내 답일 수 있다. 지도.
"용납할 수 있다."
당신 말 믿기 어려

어떤 단정 없이
지금. 여기.
오행과 정도

슬자의 흥분
끼기 위있다
→충을 세움이라라

첫걸음(에)

나를 무시하지 마라가
이웃을 무시하지 마라가
주면 5구비를 무시하지 마라가
무시하는 순간 답이 없다
더라 하 저런스레
"들여다보기. 見 과 만켜
다시 한번. 바라면서.
"답은 여기 있다. 어디면 없다"
-※ "머물러라. 아늘땄구나."

"살아있는 이 늘러금"
미감지의 오색역감 ◎

벌써 다섯 번째 강의입니다. 돌아보니 매우 마음에 든 강의도 있고, 만족스럽지 못한 강의도 있었던 것 같습니다. 어느 날은 마치고 돌아가면서 흐뭇하고 또 어느 날은 머리를 쥐어박기도 합니다. 자책했던 날은 오전에 다른 강의를 한 차례 하고 난 후라 기가 빠져서 최선을 다하고도 어딘지 석연찮은 기분이 든 게 아닐까 싶습니다. 전부 완벽하면 좋겠지만, 이렇게 기복이 있는 게 사람 사는 모습이겠죠. 잘할 때도 있고 못 할 때도 있고, 머리를 쥐어박을 때도 있고 콧노래를 부를 때도 있고요. 이렇게 왔다갔다 하면서 점점 좋아지는 것. 첫 강의에서 말씀드렸던 자존을 잠깐 생각해보세요. 어느 누가 완벽하겠습니까? 완벽을 위해 최선을 다할 뿐입니다.

이렇게 저도 완벽하지 않지만 광고 크리에이티브 디렉터라는 직업, 인문을 이야기하는 책을 냈다는 것 등의 이유로 강의를 자주 하게 되는 편입니다. 그중에서도 지방에서 강의 요청을 받으면 특별한 일이 없는 한 가려고 합니다. 얼마 전 울산에서 금요일, 토요일 이틀에 걸쳐 두 번의 강의를 하고 식사를 하는데 그 자리에 계시던 한 분이 "서울만 사람 사는 게 아니거든예"라고 말씀하셨습니다. 저는 그 말에 매우 동의합니다. 그래서 저는 서울이 아닌 곳을 우선순위에 두려고 합니다. 서울 분들은 저보다 훌륭한 다른 분들의 강의를 자주 들을 수 있으니 그렇게 억울하진 않을 겁니다.

현재를 말하기 전에 강의 이야기를 먼저 꺼낸 이유는 에피소드 하나를 들려드리기 위해서입니다. 박경철, 안철수 두 사람의 '청춘 콘서트'를 기억하실 겁니다. 멘토들의 강연 열풍을 불러일으킨 주인공들이죠. 이분들이 콘서트를 계획한 밑바탕에는 '서울만 사람 사는 게 아니거든예'가 깔려 있었습니다. 그들은 힘들어하는 청춘들을 위해, 서울의 청춘만이 아닌 전국의 청춘을 위해 여름방학 석 달 동안 전국 25곳을 돌겠다는 담대한 계획을 세우고 실천했습니다. 그리고 대가 없이 신념만으로 해냈죠. 그리고 영광스럽게 저도 그중 한 자리에 초대되었습니다.

안면이 있었던 박경철 씨가 콘서트에 각 도시마다 게스트를 초청하는데 저에게 한 번 와줄 수 있겠냐는 제안을 했습니다. 저는 흔쾌히 가겠다고 했고요. 도시는 울산, 광주, 원주 중 한 곳을 제가 고를 수 있었어요. 좋은 일에 동참하겠노라 해놓고 이기심이 살짝 발동해 제일 가까운 원주를 선택했습니다. 여름 강연이었는데, 이 스케줄을 잡은 것이 강연 두 달 전이었습니다. 그런데 갑자기 일이 떨어졌어요. 강연 2주 전이었습니다. 경쟁 프레젠테이션 날짜도 잡혔어요. 강연 바로 다음 날 아침 9시 30분이었습니다. 박경철 씨와 통화를 하던 중에 이 이야기를 했어요. 그는 무리하지 말라며 괜찮다고 했습니다. 당연히 고민스러웠죠. 그런데 결국 가겠다고 했습니다. 약속했던 일이었고 그 약속을 쉽게 저버릴 수는 없었습니다. 그리고 정말 원주에 갔습니다.

강연장에 들어서니 계단까지 빽빽하게 들어찬 수천 명의 청춘이 수천 개의 눈동자를 빛내며 저를 바라보고 있었습니다. 박경철, 안철수 씨가 내일 큰 프레젠테이션이 있는데도 불구하고 여러분들을 위해 오셨다며 저를 소개해줬습니다. 그리고 두 분은 "프레젠테이션은 생업과 연관되어 있는 일인데 불안하지 않습니까?" 하고 질문을 하더군요.

"불안하지 않습니다. 지금 제 답은 여기 있는 수천 명의 눈동자입니다. 혹시 불안하더라도 어쩌겠습니까? 타임머신을 타고 다시 돌아갈 수는 없지 않습니까? 제가 불안해한다고 일이 잘 진행되겠어요? 그럴 리 없고, 만약 제가 그런다면 제 불안만 드러나겠죠. 그리고 지금 이 앞에 있는 수천 명의 눈동자에 제가 주는 인상만 약해질 뿐이지요."

이게 제가 했던 대답입니다. 그리고 진심이었어요. 어떤 선택을 하든 간에 선택을 하고 나면 답은 그 자리에 있습니다. 아니면 없습니다. 원주에 가서 이쪽 일을 생각하면서 불안해했다고 칩시다. 타임머신을 타고 원주로 떠나오기 전으로 돌아갈 수도 없고, 또 제가 불안해한다고 해서 서울에서의 일이 잘 진행되리라는 보장도 없습니다. 그저 수천 명 앞에 제 불안을 드러내기만 하겠죠. 정 불안했다면 서울을 떠나지 말았어야 합니다. 원주에 가지 않는 것을 선택했어야 하겠죠. 그러나 간다는 선택을 했다면 뒤돌아보지 말아야 합니다. 이것이 바로 오늘 이야기할 '현재'입니다.

답은 내 앞에 있다

박경철 씨와의 에피소드로 시작했으니 그와의 인연에 대해 말씀드릴게요. 박경철 씨와는 TV프로그램 진행자와 게스트로 처음 만났습니다. 그분이 인터뷰어고 제가 인터뷰이였죠. 독서량이 워낙 많은 분이라 진행도 매끄럽게 잘 하시고, 이야기도 잘 통해서 아주 즐겁게 촬영을 했습니다. 그때 마지막 질문이 "박 CD님은 계획이 뭡니까?"였습니다. 저는 "없습니다. 개처럼 삽니다"라고 대답했어요. 부연 설명을 부탁해서 "개는 밥을 먹으면서 어제의 공놀이를 후회하지 않고 잠을 자면서 내일의 꼬리치기를 미리 걱정하지 않는다"라고 덧붙였죠.

저도 개를 길러봐서 아주 잘 압니다. 오랫동안 데리고 있다가 묻어준, 이제는 딸아이가 그린 초상화 한 장으로 기억하는 개가 있는데요. 그 개를 키울 때 퇴근해서 집에 들어가면 가장 먼저 하는 일이 가방을 내려놓고, 안경과 모자를 벗고 침대에 눕는 거였습니다. 제가 집에 돌아오면 그 개는 반갑다고 5분 동안은 제 얼굴을 핥고 나서야 짖기를 멈췄기 때문이었는데요, 그때 보면 핥는 일이 자신이 할 수 있는 유일한 일인 것처럼 최선을 다해요. 그리고 밥을 주면, 이 세상에서 밥을 처음 먹어보는 것처럼 먹죠. 잠 잘 때도 보면, '아, 아까 주인이 왔을 때 꼬리쳤던 게 좀 아쉬운데 어쩌지?' 그런 고민은 추호도 없어요. 그냥 잡니다. 공놀이 할 때는 그 공이 우주예요. 하나하나를 온전하게 즐기면서 집중하죠.

밀란 쿤데라도 똑같은 걸 느꼈는데, 『참을 수 없는 존재의 가벼움』에서 카레닌이라는 개를 이야기하면서 '개들은 원형의 시간을 살고 있다. 행복은 원형의 시간 속에 있다'라는 말을 합니다. 여러분, 직선의 시간

속에서는 행복을 알 수 없습니다. 길을 지나다가 평생 동안 찾던 그 사람을 만날지 모르는 일입니다. 어떻게 알겠습니까? 안다면 행복을 준비하겠죠. 이렇듯 직선의 시간은 행복을 정확히 알 수 없어요. 예측할 수 없습니다. 하지만 개들은 원형의 시간을 살아요. 그래서 늘 행복합니다. 『참을 수 없는 존재의 가벼움』에 이런 문장이 나와요.

> 카레닌은 잠에서 깨어나는 시간은 순수한 행복이었다. 그는 천진난만하게도 아직도 이 세상에 있다는 사실에 놀라고 진심으로 이에 즐거워했다.

개들은 잘 때 죽은 듯 잡니다. 눈을 뜨면 해가 떠 있는 사실에 놀라요. 밥을 먹을 때에는 '세상에나! 나에게 밥이 있다니!' 하고 먹습니다. 산책을 나가면 온 세상을 가진 듯 뛰어다녀요. 그리고 집에 돌아오면 다시 자요. 그리고 다시 눈을 뜨죠. '우와, 해가 떠 있어!' 다시 놀라는 겁니다. 그 원형의 시간 속에서 행복을 보는 겁니다. 순간에 집중하면서 사는 개. 개처럼 살자. 'Seize the Moment, Carpe diem(순간을 잡아라, 현재를 즐겨라)'의 박웅현 식 표현이자, 제 삶의 목표입니다.

Seize the Moment, Carpe diem. 이 말은 '현재를 살아라. 순간의 쾌락을 즐겨라'가 아니라 순간에 최선을 다하라는 뜻입니다. 아마도 클럽의 젊은이들 대부분은 순간의 쾌락을 즐기라고 해석하고 싶을 겁니다. 인생 뭐 있어? 오늘도 클럽 내일도 클럽, 오늘도 섹스 내일도 섹스, 그랬으면 좋겠죠. 하지만 그게 아니라 지금 네가 있는 이 순간에 최선을 다해서 살라는 이야기죠. 이 순간의 보배로움을 알아라, Seize the Moment, Carpe diem. '개처럼 살자'입니다.

다른 책 속에서도 찾아볼 수 있는 이야기입니다. 한형조의 『붓다의 치명적 농담』을 보면 어느 선사에게 누가 묻습니다.

"스님도 도를 닦고 있습니까?"
"닦고 있지."
"어떻게 하시는데요?"
"배고프면 먹고, 피곤하면 잔다."
"에이, 그거야 아무나 하는 것 아닙니까? 도 닦는 게 그런 거라면, 아
　무나 도를 닦고 있다고 하겠군요."
"그렇지 않아. 그들은 밥 먹을 때 밥은 안 먹고 이런저런 잡 생각을 하
　고 있고, 잠 잘 때 잠은 안 자고 이런 걱정에 시달리고 있지."

　현재에 집중하라는 말입니다. 밥 먹을 때 걱정하지 말고 밥만 먹고, 잠 잘 때 계획 세우지 말고 잠만 자라는 거죠. 이 삶의 지혜는 동서양을 막론하고 마찬가지입니다. 오스카 와일드의 『도리언 그레이의 초상』에서도 헨리 경이 도리언 그레이에게 포도알을 입안에 넣고 으깨어 그 즙을 다 마신 거라고 말하기도 하는데요. 카르페 디엠을 가르친 겁니다.
　무슨 말이냐 하면, 순간을 포도알로 본 겁니다. 이 순간을, 이 포도알을 먹으면서 어제 일을 걱정하고 있다면 단물만 빨아먹고 버리는 거예요. 그런데 개처럼 집중을 하면 단물 빨아먹고, 껍질의 신맛을 보고, 씨앗의 씹히는 맛을 보면서 그 순간을 온전히 즐기는 거죠. 마치 개들처럼요. 순간을 산다는 건 대단히 중요한 일입니다.

만물은 준비되어 있으니 나만 성의를 다하면 된다

萬物 皆備於我矣 만물 개비어아의
反身而誠 樂莫大焉 반신이성 낙막대언

『맹자』에 나오는 구절입니다. 맹자를 완독한 적도 없는 제가 아는 척할 수 있는 작은 지식이지만 제게 선명한 도끼의 흔적을 남긴 구절이기 때문에 소개해드리려고 합니다. 다시 한번 화엄창천 날아다니는 수개미가 되겠네요.

군에서 제대하고 동양철학에 관심이 생겨서 여름방학 때 하는 『맹자』 강독 수업을 들었습니다. 정말 더운 날이었고 강의실에 에어컨도 없어서 창문을 열어놓고 손으로 옷을 펄럭이고, 부채를 부치면서 들었던 강의였습니다. 한문학과 친구들 아니면 듣지 않는 강의에 신방과 학생이 와 있는 게 신기했는지 다들 왜 왔냐고 물었던 기억이 있는데, 역시 한문학과 학생이 아니어서인지 대부분 잊었고 이 한 구절만 아주 강하게 남아 있습니다. 해석을 해보면 이런 의미입니다.

'만물의 이치가 모두 나에게 갖추어져 있으니, 나를 돌아보고 지금 하는 일에 성의를 다한다면 그 즐거움이 더없이 클 것이다.'

見 강의 때 말씀 드린 것을 기억하십니까? 제가 냈던 아이디어들이 전부 주변에서 일어난 일이었다는 이야기 말입니다. 주변에 다 준비가 되어 있었던 거죠. 말하자면 제가 넘어진 아이를 일으켜 세우려고 했던 행동을 돌아보고, 그 행동이 왜 일어났는지 성의를 다해 생각해보면 아

이디어가 나온다는 겁니다. 그것을 깨닫고 다시 생각해보니 정말 대단한 문장이었습니다.

원주에서 불안하지 않았던 것은 이 깨달음을 얻고 난 후였기 때문이었습니다. 원주에 간 이상 그곳에 있는 수천 명의 눈동자가 저한테는 준비된 만물입니다. 제가 머털도사나 손오공처럼 머리카락을 뽑아서 분신을 만들어 서울로 보낼 수는 없잖아요? 이것은 명백한 사실이죠. 그럼 다른 방법은 없습니다. 저는 지금 물리적으로 그 공간에 있고, 거기에서 집중을 해야 합니다. 그런데 제가 '내일 프레젠테이션을 해야 하는데 강연이 10시에 끝나고, 가서 준비하려면 시간이 빠듯하네. 시놉시스는 어떻게 만들지?' 이런 걱정을 하면 제가 그 사람들에게 온전히 집중하지 못하고 성의를 다 하고 있지 않은 거죠. 그렇게 하면 나올 게 없습니다.

마흔의 박웅현의 이야기를 해드릴까요? 우리는 마흔을 '불혹'이라고 하잖아요? 불혹(不惑), 흔들림이 없다는 뜻입니다. 마흔이 되기 전에는 실제로 그 나이가 되면 정말 흔들리지 않을까 궁금했어요. 그래서 마흔이 되면 서머싯 몸의 『달과 6펜스』를 다시 읽겠다고 다짐했죠. 소설은 폴 고갱을 모델로 한 화가가 주인공인데, 그는 마흔에 가정과 사회생활을 정리하고 그림을 그리기 시작합니다. 저는 20대에 이 책을 읽으면서 마흔을 마지막으로 봤습니다. 마흔에 인생의 다른 문을 열지 않으면 그때부터 책임이라는 중압감이 나를 짓눌러서 더 이상 움직일 수 없을 것이라고 막연하게 추측했습니다. 그래서 내가 마흔이 되면 이 책을 다시 읽어봐야겠다고 생각한 겁니다.

그리고 정말 마흔이 되어 이 책을 다시 읽었어요. 그런데 마지막 장을 덮으면서 아이러니하게도 나는 다른 선택을 못 하겠다고 결론을 내

에두아르 마네, 〈The Monet Family in Their Garden at Argenteuil〉, 1874년, 캔버스에 유채,
61×99.7 cm. 뉴욕 메트로폴리탄 미술관.

렸습니다. 마침 그 책을 읽는 순간 우리 가족이 미사리 조정경기장 잔디밭에 있었는데, 그때 딸아이가 열 살이었고, 자전거를 타고 있었고, 앞에서 말한 제 얼굴을 핥던 그 개가 자전거를 쫓아다니고 있었죠. 행복한 가정의 전형적인 모습이었어요. 그런데 책을 덮고 그 모습을 보면서 혼자 생각했어요.

'이거 버릴 수 있어? 옆에 앉아 있는 아내와 자전거를 타고 있는 딸, 저 개와 함께하는 이 생활을 버릴 수 있어? 이걸 다 버리고 마다가스카르로 갈 수 있어?'

갈 수 있었겠어요? 못 가죠. 명백하게 못 가는 거예요. 하지만 사람인데 미련이 안 남았겠어요? 폴 고갱 같은 의미 있는 삶이 있을 텐데, 나도 뭔가를 누리고 싶은데, 그냥 이렇게 살면 평범해질 것 같은데, 하는 아쉬움이 왜 없었겠습니까.

마흔의 저는 서른 평 아파트에 아내와 딸과 함께 살고 있는 제일기획 국장이었습니다. 당시 저는 인생이 거기에 없는 것 같았습니다. 저보다 나이든 어른들 시선에서 저는 등 밀어줄 아들도 없었고요. 대학교 시절의 같은 과 친구는 MBC에 입사해 유명 프로그램을 만드는 PD가 되어 있었고, 군대 고참은 사법고시에 패스해 판사가 됐고, 어느 후배는 호주로 이민 가서 매일 바비큐를 굽고 요트를 만들며 산다고 하더군요. 나이 마흔이면 이 정도는 살아야 하지 않아? 뭘 그렇게까지 하고 살아? 여기저기서 제 인생을 흔들었습니다. 누구는 주재원을 나가야 한다고 하고, 누구는 이혼을 한 번 해보라 하고, 또 누군가는 지리산에 가서 혼자 살아보라고 했습니다.

저는 제 삶을 제외한 다른 모든 삶이 멋져 보였습니다. 서른 평 아파트에서 5시에 일어나 출근했다가 풀리지 않는 일 때문에 스트레스를 받고 퇴근해 소주 한잔 마시고 집으로 가는 삶이 맞는 건가 싶었습니다. 내 인생을 이렇게 살아도 되는 건가 늘 고민했죠. 저의 마흔은 그렇게 흔들림으로 가득 찼어요. 그러니 불혹이 어떻게 오겠습니까? 흔들리지 않는 삶이 어떻게 왔겠어요. 다 바깥에 답이 있고, 나에게는 답이 없는데. 이민을 갔거나, 판사나 방송국 PD가 됐어야 했나, 아들을 입양해볼까, 온갖 생각이 다 드는 만혹(滿惑)의 나이였어요.

불혹은 그 만혹의 시기로부터 꼭 10년 후에 찾아왔습니다. 제 나이 오십에 드디어 불혹을 맞은 것이죠. 저는 이제 크게 흔들리지 않습니다. 제 인생을 인정하고 긍정하기 시작했어요. 단, 여기서 흔들리지 않는다는 것은 다른 삶의 부정이 아닙니다. 그들의 삶의 긍정과 내 삶의 긍정을 의미합니다. '호주에 가서 매일 바비큐하는 삶 멋져, 잘 나가는 프로그램의 PD도 정말 멋지고, 판사도 좋아 보여, 지리산에서 사는 삶도 괜찮은 것 같아. 그런데 동시에 나도 괜찮아. 아파트에서 딸 하나 키우면서 사는 게 답이 아니라고 누가 그랬어?'라는 생각이 불현듯 들었어요. 비로소 나의 현재에 대한 존중이 생긴 겁니다.

내 답이 옳다

다른 답은 내 답이 될 수 없다는 사실의 인정, 현재에 집중해야 하는 가장 큰 이유입니다. 결국 이것은 자존과 연결됩니다. 그렇다면 나의 상황이 완벽할까요? 딸을 하나만 낳은 것, 이 직업을 선택한 것, 원주의 선택은 내가 잘못된 선택을 한 걸지도 모릅니다. 그 경쟁 프레젠테이션의 결과가 어떻게 됐느냐를 생각했다면 원주의 선택을 하지 말았어야 할지도 몰라요. 진짜 멋지게 살기 위해서는 호주를 선택해야 했을지도 몰라요. 맞습니다. 늘 불완전한 선택을 한 거죠.

그런데 조금만 생각해봅시다. 제가 원주에 가지 않고 서울에 남았어요. 그럼 이게 답이라는 확신을 가질 수 있었을까요? 박경철, 안철수라는 사람들과의 약속, 그들의 진정성에 대한 나의 답, 이것들을 지키지 못했다는 자괴감을 가지고 무거운 마음으로 프레젠테이션 준비를 했을 거예요. 호주로 이민을 갔어요. 거기에서 맨날 요트를 타고 바비큐만 구울까요? 아마 외로울 겁니다. 강남역 앞에서 사람들과 복닥거리면서 마시던 술 한잔이 그립겠죠. 그러니 완벽한 선택이란 없습니다. 옳은 선택은 없는 겁니다. 선택을 하고 옳게 만드는 과정이 있을 뿐입니다.

고맙게도 후배들이 저를 믿고 인생 고민을 많이 털어놓습니다. 이 사람이랑 결혼할까요? 하지 말까요? 유학을 갈까요? 회사를 더 다닐까요? 마치 둘 중의 하나가 정답인 것처럼 물어요. 그런데 저는 정답을 말해주지 못합니다. 그런 건 없으니까요. 그 남자랑 결혼하는 게 정답이 될 수도 있고 오답이 될 수도 있어요. 지금 유학을 가는 게 정답이 될 수도 있고 오답이 될 수도 있어요. 모든 선택에는 정답과 오답이 공존합니다. 그러니 어떤 것이 옳은 것인지 고민하지 말고 선택을 해봤으면 합니다.

그리고 그 선택을 옳게 만드는 겁니다. 팁을 하나 드릴게요. 어떤 선택을 하고 그걸 옳게 만드는 과정에서 제일 중요한 건 뭐냐, 바로 돌아보지 않는 자세입니다. 만약 그 남자와 결혼하기로 결정했어요. 그래놓고 다른 남자가 더 좋았을지도 모른다고 생각하면, 혹은 결혼하지 않고 달리 살았다면, 하고 생각하면 별것 아닌 일로 부부싸움이 시작되겠죠. 그건 미련한 짓이잖아요? 유학 생활을 하면서 회사에 있었으면 이 고생 안 할 텐데, 하고 후회하는 것 역시 마찬가지죠. 그러니까 어느 하나를 선택하고, 그 선택을 옳게 만들려면 지금 있는 상황에서 무엇이 최선인지 생각하고 실천하는 게 제일 좋은 답이에요.

> 나는 지금 내가 차지하고 있는 이 공간적 지점에, 시간 속의 이 정확한 순간에 자리잡고 있다. 나는 이 지점이 결정적이지 않은 것을 허락할 수 없다.

야금 야금 나눠 먹고 있는 책, 『지상의 양식』의 한 구절입니다. 이 말은 즉, 저는 현재 강남역 어느 세미나실에서 2012년 11월 7일 저녁 7시 30분이라는 순간을 삽니다. 이 순간 속에 있는 게 저고요. 만약 여기에서 마다가스카르나 그랜드 캐니언을 꿈꾼다는 건 내가 서 있는 이 공간에 대한 무시입니다. 이 지점이 결정적이지 않은 것을 허락할 수 없다는 것은 결국 현재가 나한테 결정적이지 않은 것을 허락할 수 없다는 것이죠. 앙드레 지드는 결국 삶은 '현재 순간들의 지속적인 일어남'이라고 했습니다. 그리고 '하루에 매 순간 그대는 신을 송두리째 가질 수 있음을 잊지 말라'고 못을 박죠. 매 순간 신은 바로 여기에 있고 전부 내 차지가 될 수 있습니다. 앙드레 지드가 말한 '그대 온 행복을 순간 속에서 찾아라'만 실천한다면요.

그가 『지상의 양식』에서 말한 순간에 대한, 현재에 대한 다른 이야기도 들어볼까요?

- 나는 나의 모든 재산을 내 몸 속에 지녔다.
- 결코 미래 속에서 답을 찾으려 하지 말라. 모든 행복은 우연히 마주
  치는 것이다.
- 우리는 순간에 적히는 사진과 같은 생을 벗어나면 아무것도 아니다.
- 우리 생에 각 순간은 본질적으로 다른 것과 바뀔 수 없다.
- 때로는 오직 그 순간에만 마음을 쏟아야 한다.

사르트르의 이야기도 한마디 더 들어보죠.

인생은 잘 짜인 이야기보다는 그 하나하나가 관능적인 기쁨인, 내일
없는 작은 조각들의 광채다.
　　　　　　　　　　　－사르트르, 카뮈의 『이방인』에 대한 비평문 중에서

맞습니다. 우린 순간을 예측할 수 없습니다. 어떤 순간이 보배로운
순간인지 모릅니다. 그러니 그 순간을 우리가 보배롭게 보면 됩니다.
'후회는 또 다른 잘못의 시작일 뿐'이라고 나폴레옹이 말했답니다. 앞서
말씀드렸지만, 원주에 가놓고 후회하면 뭐가 달라질까요? 또 다른 잘
못의 시작일 뿐입니다. 선택을 한 이상 그게 내가 지금 가지고 있는 결
정적인 순간, 현재입니다.

살아 있다는 그 단순한 놀라움과 존재한다는 그 황홀함에 취하여

제 책상 뒤에 크게 붙여놓은 글로 김화영의 글입니다. 살아 있다는
이 놀라운 사실을 우리는 몰라요. 죽기 직전에야 압니다. 지금 살아 있

다는 놀라움, 존재하는 황홀함, 이 순간에 취해 있어야 합니다.

『책은 도끼다』가 출간되고 한 라디오 프로그램에서 인문학 관련 고정 코너를 진행했던 적이 있습니다. 한번은 청취자로부터 "인문학을 하면 밥이 나오나요?"라는 짓궂은 질문을 받았습니다. 그래서 잠깐 생각하다가 답을 했죠. "인문학을 해서 밥이 나오는 경우도 있고 안 나오는 경우도 있습니다. 그런데 한 가지 분명한 사실은 인문학을 하면 밥이 맛있어집니다"라고.

이건 경험에서 나온 이야기인데요. 어느 날 아침에 수영을 다녀와서 밥을 먹는데 스마트폰으로 신문기사를 읽고 있었어요. 아내는 옛날에는 신문 보면서 밥을 먹더니 이제는 스마트폰이냐며, 기껏 차려줬는데 제대로 먹지 않는다고 한 소리를 하더군요. 듣는 둥 마는 둥, 먹는 둥 마는 둥 몇 개만 더 보고, 하다가 문득 이러지 말자 싶었습니다. 그래서 휴대폰을 내려놓고 된장찌개를 떠서 입에 넣었습니다. 그런데 좀 전에 먹었던 찌개와 맛이 전혀 달라요. 밥을 먹는데, 쌀알이 하나하나 터지는 느낌이 얼마나 좋은지 말입니다. 그날 아침 식사에서 저는 된장찌개를, 밥과 반찬의 진짜 맛을 온전히 즐길 수 있었습니다. 개처럼 먹었죠. 먹는 것에만 집중하면서. 똑같은 순간인데 스마트폰을 보면서 먹을 때와 밥에 집중해서 먹을 때가 전혀 다릅니다. 법정스님이 말씀하신 것처럼 풍부하게 소유하는 게 아니고 풍요롭게 존재하는 거예요. 그날 아침은 어떤 순간보다 풍요로웠습니다.

『생각의 탄생』에 나온 말을 빌리자면 '세속적인 것들의 장엄함'을 깨달은 겁니다. '우리는 아이를 위해 빵에 버터를 바르고 이부자리 펴는 것이 경이로운 일임을 잊어버린다'고 알랭 드 보통이 이야기했던, 이불 개는 것처럼 평범한 일이 소중해지기 시작한 겁니다. 장자의 '하늘 아래

가을의 작은 나뭇잎 이상 위대한 것은 없다'는 지혜의 말을 이해한 거예요. 이 세상에 아무리 위대한 것들이 많다고 해도 지금 내 눈앞에 나타난 이 가을 나뭇잎만 못 하다는 지혜를 얻은 겁니다.

삶은 순간의 합이다

답이 내 앞에 있다는 사실, 현재에 있다는 사실을 알면 행복합니다. 봄이 어디 있는지 짚신이 닳도록 돌아다녔건만 정작 봄은 우리 집 매화나무 가지에 걸려 있었다지 않습니까? 우리 집 앞 언덕길에 특별할 것 없는 가로수들이 있습니다. 그야말로 아무것도 아닌 가로수들이죠. 그런데 아무것도 아닌 것이 아무것인 게 인생이라고 말씀드렸었죠?

며칠 전 아내와 차를 타고 그 언덕길을 내려가는데 아내가 말해요. "어? 여기 가로수도 단풍이 참 예쁘다." 순간 또 깨달은 거죠. 아, 여기에 있는 가을을 나는 왜 가을이라고 치지 않았을까? 왜 그 너그러운 가을이 내장산에만 온다고 생각했을까? 여기에도, 내 집 앞에도 성큼 가을이 와 있었구나. 현재에 대한 존중. 내 눈앞에 있는 것들에 대한 존중, 결국 뜻과 일맥상통하는데, 그냥 흘려 보내지 말고 존중해서 잘 보아야 합니다.

Verweile doch, du bist so schön!
머물러라. 너는 정말 아름답구나.

딸 연이가 새로 산 아이팟에(늘 그렇듯 오직 3주 만에 잃어버리기 위한 목적으로 산 것이지만) 새긴 글귀입니다. 『파우스트』의 한 구절이에요. 자신이 가지고 있는 욕망의 크기를 아는 파우스트는 스스로 결코 만족을 모를 것이라고 확신합니다. 그래서 메피스토펠레스와 내기를 하죠. 악마의 힘을 빌리는 대가로 만약 자신의 삶에 만족해 "머물러라, 너는 정말 아름답구나"라고 외치면 영혼을 가져가도 좋다고 합니다.

연이에게 어떤 의미로 이 구절을 새겼냐고 물으니까, 매 순간을 이렇게 살고 싶다고 말하더군요. 올바른 삶의 태도를 가지고 있는 것 같아 아빠로서 무척 기뻤습니다. 매 순간이 머물러라 아름답구나, 라는 것은 밥이 진짜 맛있구나, 해가 뜨는 게 기적 같구나 라면서 사는 개와 같은 삶의 태도이죠.

연이가 고등학교 2학년 때 부모의 날(Parent's day)에 참가하기 위해 회사 일을 미루고 미국에 갔을 때에요. 아이는 대학을 가기 위한 과정으로 고등학교를 다니고 있었고, 저는 바쁜 와중에 잠깐 시간을 낸 것이었어요. 아이와 저 누구에게도 목표가 되는 시간이 아니었죠. 인생에 있어 어떤 중요한 역이 아닌, 그저 간이역 같은 시간이었습니다. 그런데 그때 호텔 방에 들어서면서 연이에게 이렇게 말했었습니다.

"연아, 우리 여기가 종착역이라고 생각해보자. 나는 지금까지 살면서 너와의 이 일주일을 잘 보내기 위해 살아온 거야. 마치 내가 감옥에 있다가 이 일주일을 위해 휴가를 받아서 나온 거지. 너도 저 감옥에 있다가 휴가를 받아 나온 거고. 우리 여기 있는 동안 이 일주일을 위해 지금까지 살아왔다고 생각하고 지내자."

현재에 집중하자는 이야기였죠. 아마 이런 경험들이 지금 딸아이의 삶의 태도를 만들지 않았을까요?

저는 딸을 키우면서 늘 아내에게 삶을 경주로 보지 말자고 말했습니다. 삶은 순간의 합이지 결코 경주가 될 수 없어요. 딸아이가 중3이었을 때 20일 동안 세 식구 같이 유럽 여행을 떠나자고 했더니 아내가 저한테 안 된다고 하더군요. 20일이면 영어 수업, 수학 수업 몇 시간을 빠져야 하는지 아느냐면서, 그 20일 때문에 아이가 뒤처질 수 있다고 걱정을 하더라고요. 아내의 이야기는 만약 대학이라는 점을 찍어 달린다면 맞는 말일 겁니다. 하지만 삶이 순간의 합이라는 관점에서 본다면 기억에 남을 만한 순간을 아이한테 얼마나 만들어주느냐가 학원에서 보내는 20일보다 더 중요하다고 생각했어요. 그렇게 설득을 해서 여행을 갔는데, 그 사이 아이의 키가 4센티미터가 자랐더라고요. 기적이었죠. 물론 잊지 못할 좋은 기억도 많이 담아 왔고요.

여러분은 어떤가요? 삶을 달리기만 하나요?

우리나라의 많은 사람들이 삶을 경주로만 봅니다. 초등학교 때부터 레이스가 시작되죠. 요즘은 더 빨리 시작된다고 합니다만, 어쨌든 초등학교 때부터 선행학습을 합니다. 그리고 명문 중학교에 가야 하죠. 거기 갈 때까지 행복을 유보해요. 명문 중학교에 가서 3일 정도 좋아하다가 다음부터 다시 행복을 유보하고 특목고를 향해 달립니다. 특목고에 들어가면 또 서울대에 가기 위해 다시 행복을 유보해요. 서울대에 가면 대기업에 들어가기 위해, 부장이 되기 위해, 임원이 되기 위해, 아파트 평수를 늘리기 위해 행복을 유보해요. 그러고 나면 나이 60, 70이 되죠.

지금 이 순간, 현재에 의미를 부여하지 않으면 행복은 삶이 끝나갈 때쯤에나 찾게 될 겁니다. 순간에 의미를 부여해야 합니다. 그렇지 않으면 우리의 삶은 의미 없는 순간들의 합이 될 테니까요. 만약 삶은 순간의 합이라는 말에 동의하신다면, 찬란한 순간을 잡으세요. 나의 선택을 옳게 만드세요. 여러분의 현재를 믿으세요. 순간순간 의미를 부여하면 내 삶은 의미 있는 삶이 되는 겁니다. 순간에 이름을 붙여주고, 의미를 불어넣으면 모든 순간이 나에게 다가와 내 인생의 꽃이 되어줄 겁니다. 당신의 현재에 답이 있고, 그 답을 옳게 만들면서 산다면 김화영의 말대로 '티 없는 희열'을 매 순간 느낄 겁니다. 티 없는 희열로 빛나는 관능적인 기쁨에 들뜨는, 예외 없는 작은 조각들의 광채가 온전히 여러분의 인생을 빛내기를 바랍니다.

권위

동의되지 않는 권위에 굴복하지 말고
불합리한 권위에 복종하지 말자

權威 : 꼭 희미들 말,
　　　동의되지 ―
동의되지 않는 권위에 굴복하지 말고
불합리한 돈의 힘에 복종하지 말자
권위를 강요하는 사람. (
회장님. 장관님 의료님. 영감님
不問. 이끼 모두 승후를 만든다
너무 단순화시키는 거 아니냐.
꼬시 땅시는 꼬들보다 고기다
권위 의식 - 某 진보 의원까지.
"감히 국회의원에게!"

국회 풍경.
　JMO : 스데인 정초
우리는 '보도1분씨. 대통. 외진
어려 때부터 "공명해라!"

그게 되나?
감정을 버리기다　함부터 공정함
　　　　　　　감정 억제하기
　　　　　　　억울. 둘둘
　　우리나눔기다.

사회는 "고통 고통"을 감초한다
검승하자. 우리는 목서어 취계
하자. 그들은 이끼 침의 세계.
그가나 고요졌다. 있지. 아셨낔
이고, 다른 사님에게도
자기가 윗것이 되기땐
폭동이 적용되어야 한다

해버로터. 人捨.　　　　囮 영어
강자에게 강하고　　　　　　권위
약자에게 약하다라
자기가 싫을 기 ● 강요마라
포덕시던 회의 에딕도도.
늙혀 옳은 게 옳다　강판 많이 취에다
늙게 먹자. 이끼 잚음을　쉽게 이야아 한다
대하는 자제. 제개하게 롲치　이맑눈
　　　　　　　　　　　　　기옵는다
믿고 가슴을 따라　　　　우리는 악하려
40까지 목쉬라/식아라　하고 강하기도
40부터 바너니라　　　하다

우리는 왜 어떤 직함 앞에서 약해질까요? 판사, 의사, 변호사, 교수
……. 우리는 왜 어떤 대학 이름 앞에서 약해질까요? 서울대, 연세대,
고려대 ……. 그리고 우리는 왜 어떤 회사 이름 앞에서 약해져야 하는
걸까요? 삼성전자, 조선일보 …….

솔직해집시다. 누구든 한 번쯤 이런 것들 앞에 약해진 자신을 발견한
적이 있을 겁니다. 오늘은 도대체 왜 '권위' 앞에 주눅드는지 그 이유에
대해 이야기해보려고 합니다.

어떤 직군, 직함 등 그 앞에서 우리가 약해지는 가장 큰 이유 중 하나
는 다른 나라보다 더 강하게 작용하고 있는 '문턱증후군' 때문이 아닐까
생각합니다. 문턱증후군, 즉 그 문턱만 들어서면 인생이 달라진다는 믿
음에서 시작되는 잘못된 증상이죠.

우리는 어느 대학의 문턱만 넘으면, 어느 회사에 들어가면, 어느 직

업을 갖게 되면 인생이 달라진다고 생각합니다. 판사가 되는 순간 인생이 바뀌고, 의사가 되는 순간 인생이 바뀌는 것이죠. 다른 나라도 그렇겠지만, 유독 우리나라가 심하다는 생각입니다. 문턱만 넘으면 의심 없이 인정을 해줘요. 교수는, 의사는, 존경받을 사람이라고 인정 '해주는' 겁니다. 명함을 주고받을 때 "청와대 다닙니다" 하면 벌써 분위기가 달라져요. 공기가 달라집니다. 사회생활 초년병 때 친구가 어느 대기업 비서실에서 일을 했는데, 그 당시 비서실은 높은 분과 제일 가까운 부서였어요. 전화를 걸면 비서실 특유의 고압적인 말투가 들려오는데 그게 참 싫었습니다. 수화기 너머에 있는데도 상대방을 위축되게 하는 말투였죠. 어느 날 그 친구와 소주를 한잔 하면서 이야기를 했죠. "적어도 너는 그러지 마라. 그거 아주 밥맛이다." 그런데 그 친구가 그러더군요.

"일부러 그러는 게 아냐. 이상하게 전화를 건 쪽에서 더 긴장을 하더라고."

전화를 건 사람이 지레 주눅이 든 겁니다. 우리가 너무 무조건적으로 어떤 권위를 인정하거나 받아들이고 있는 것은 아닌가 되돌아볼 필요가 있어요. 생각해보세요. 서울대학교가 마치 대학의 전부인 양 교내 신문사 이름이 '대학신문'인 것도, 청와대를 BH(Blue House)니 높으신 분들 이름을 JP니 YS니, 회장 이름마저 OJ, KM 이렇게 범인들이 함부로 불러서는 안 될 이름처럼 취급하는 것, 이상하지 않습니까? 저는 어디서건 꼬물꼬물 흘러 나오는 그 얇은 권위의식이 싫습니다.

문턱증후군

판사증후군, 대학증후군, 이 이야기는 우리 생각 저변에 '아, 저 학교 간 사람은 다 똑똑해, 의사가 된 사람은 다 존경할 만해'라는 식의 생각이 깔려 있다는 거죠. 이런 단순 도식이 있을 수 있나요? 아니 인생이 이렇게 단순한가요? 인생은, 사람은, 절대 단순하지 않아요. 판사 중에 후진 판사는 정말 후져요. 의사 중에 무식한 의사도 많고요. 뉴스 사회 면에 나오지 않습니까? 자신이 돈을 벌어다 주는데 아내가 집 열쇠, 차 열쇠, 병원 열쇠 가져오지 않았다고 아내를 때리는 의사 이야기요. 이건 무식한 사람이잖아요. 법조계에서 일어나는 일들도 살펴보세요. 떡값, 개인사찰 등의 뉴스 기사가 많습니다. 이런 일련의 일들이 정상적이고 올바른 사람들이 하는 걸까요? 이런 검사 판사보다 평범한 직업이라도 열심히, 정직하게 사는 사람들이 훨씬 멋진 게 아닐까요? 그렇지 않습니까? 멋지고 말고의 문제는 직업의 문제가 아닙니다. 우리도 이 정도는 다 알고 있어요.

제가 하고 있는 광고 일, 저 역시 사기꾼이라는 말을 많이 듣습니다. 하지만 '잘' 하면 되는 겁니다. 의사도 판사도 아니고 사기꾼 소리나 듣는데 그냥 먹고살 정도로만 대충 해야지, 이런 수동적인 생각으로 일하고 싶지 않아요. 난 이 일을 가장 멋지게 하고 싶습니다. 어떤 일을 하느냐가 아니라 그 일을 어떻게 하느냐가 중요하니까요. 바깥의 권위에 의지할 필요가 없습니다.

어떻게 서울대 학생이 다 똑똑하겠어요? 그런데 우리 머릿속에는 이미 서울대 학생이라면 다 똑똑할 것이라는 생각이 들어 있어요. 십 대 후반부터 이런 시선을 받고 어른이 된 사람들은 스포일드 어덜트

(Spoiled Adult)가 될 가능성이 커요. 스포일드 어덜트, 타인에 대한 배려심이 없고 인성에 문제가 있는 사람을 말하죠. 위에서 말씀드린 사람을 패는 의사, 정직하지 못한 검사 등이 다 그런 부작용이라고 볼 수 있습니다.

제 경험을 하나 이야기해드릴게요. 제 조카가 의사입니다. 울산 의대를 나왔어요. 그 애가 학생 시절에 집에 놀러 오면 같이 동네 단골집에 자주 가서 술 한잔씩 나눴어요. 그래서 그 단골집 주인장도 조카가 의대생이라는 걸 알고 있었죠. 그런데 다른 손님들이 오면 그 주인장이 꼭 이렇게 말을 해요. "이 학생이 의대에 다녀요." 만약 조카가 서울대생이었다면 서울대에 다닌다고 했겠죠. 어쨌든 주인장에게 의대 다니는 학생을 소개 받으면 거기 있던 나이 사십 줄의 손님들이 스물한 살짜리 애가 하는 이야기를 열심히 들어요. 의대생이거든요. 이런 현상이 우리나라에서는 자주 일어나죠. 이것은 동의되지 않은 권위에 대한 굴복인 것 같아요. 그리고 이 굴복이 우리 사회를 건강하게 만들지 못하는 것 같고요.

오늘도 마찬가지입니다. 지금 제 강의를 들으러 오신, 이 자리에 계신 분들은 대부분 저에 대한 호감이 있을 텐데 감사한 일이고, 저도 잘하고 싶어요. 여러분께 좋은 샘플이 되고 싶습니다. 하지만 무조건적으로 저를 믿지 마세요. 책 한 권 읽고 사람을 알 수는 없습니다. 한 분야에서 오래도록 일했고, 인문학에 대해 이야기하고 다니지만 주머니에 손 넣고 계단을 오르다가 넘어져서 머리에 반창고를 붙이고 다니는 사람이기도 해요. 박웅현이라는 사람이 생각보다 후진 사람일지도 몰라요. 내가 옳다는 게 다 옳지 않아요. 어떤 부분에서는 잘하지만 어떤 부분에서는 잘못도 해요. 또 어떤 부분은 신뢰할 만하지만 어떤 부분은 허술하기도 해요. 그러니 이걸 나눠서 볼 줄 알아야 하는 겁니다.

딸아이가 본인의 페이스북에 제 사진 두 장을 올렸어요. 하나는『책은 도끼다』에 삽입한 사진이고 다른 하나는 지난겨울 집에서 아내가 음식 준비하는 것을 도울 때의 모습이에요. 저는 생강을 까는 임무를 맡았는데요. 생강 까보셨나요? 까다보면 껍질이며 진물이 앞으로 많이 튀어요. 그래서 집사람이 준 앞치마를 두르고, 잘 못하니까 최대한 집중해서 까고 있었죠. 그런데 이 모습을 우리 딸아이가 찍어서 나란히 페이스북에 올렸던 겁니다. 그리고 두 사람이 같은 사람이라는 글을 남겼더군요. 저는 그게 창피하지 않았어요. 오히려 그게 제가 사는 모습 같아서 좋더라고요.

냉정하게 이야기해볼까요? 의사들은 훌륭한 기능인입니다. 그 분야에서 정말 공부 많이 한 사람들이죠. 하지만 사회가 돌아가는 것, 문화적인 소양 등 모든 것에 있어서 최고는 아닐 겁니다. 그런데 대부분 무턱대고 믿고 본단 말이에요. 말하자면 첼리스트 요요마(Yo-Yo Ma)가 세계에서 인정받을 만큼 첼로 연주를 잘 하니까 세상 돌아가는 이치에 대해서도 아주 잘 알겠네, 하는 것과 똑같습니다.

이런 것들이 왜 동의가 되어야 하는 걸까요? 우리는 모두 완벽하게 불완전한 사람들인데요. 문턱증후군 때문에 문턱을 넘은 일부 사람들은 완전할 거라고 말하는 사람들의 이야기를 믿지 마세요. 회장님이 전지전능하지 않아요. 물론 존경스러울 수도 있지만 모든 말이 옳고, 실수는 하지 않는 사람이 아니에요. 판사도, 의사도, 서울대생도, 회장도 나보다 낫지만 또 한편 나보다 못한 부분이 분명히 있을 겁니다.

우리는 어떤 문턱을 넘은 사람들을 볼 때 나보다 나은 부분만 봅니다. 그래서 그들 또한 자기 자신이 진짜로 뭇사람들보다 낫다고 생각해요. 언젠가 이름난 진보인사가 이런 말을 했어요. "대한민국 국회의원을 뭘로 보고 말이야?" 저는 그 소리가 충격적이었고 매우 실망스러웠습니다. 본인은 국회의원 문턱을 넘었다는 거죠. 국회의원을 뭘로 보긴 뭘로 봅니까? 국회의원은 국회의원일 뿐입니다. 국회의원이라도 인격이 못난 사람들은 누구보다 후지고, 훌륭한 사람들은 누구보다 훌륭해요.

드라마를 볼 때도 피식 코웃음 치게 되는 장면을 종종 보는데요. 드라마에 회장님 댁 참 자주 나옵니다. 으리으리한 저택 거실에서 엄마와 아들이 이야기하다가, 누가 들어오는 기척이 나면 엄마가 확인을 하죠. 남편입니다. 그런데 "얘, 회장님 오셨다" 이러고 일어나 남편을 맞아요. 이것은 문제 있는 겁니다. 회사에서나 회장이지 집에 오면 남편이고 아버지입니다. 실제로 그래야 하는 거고요. 그 사람은 태어날 때부터 회장으로 태어나서 화장실에서도 회장인가요? 아빠고 남편이고 실수 많은 인간이에요. 그냥 무덤덤하게 보아 넘기는 드라마의 한 장면이지만 이런 것들에 민감하게 반응하면서 살아야 해요.

비틀스가 만든 노래는 역대 세계에서 가장 많이 리메이크가 됐고 멤버들의 이름을 딴 별이 있다고도 하죠. 한 기자가 비틀스 멤버들 중 폴매카트니에게 질문했어요. "당신에게는 엄청난 유산이 있다. 그 유산에 주눅들지 않느냐?"라고요. 이 물음에 폴 매카트니가 이렇게 답했답니다.

"무슨 이야기인지 잘 압니다. 나는 그래서 안전장치가 필요하다고 생각해요. 매카트니라는 스타 입장에서도 그리고 '나'라는 입장에서도. 매카트니는 자기 이름을 딴 별도 가진 사람입니다. 이런 대중적인 스타와 나를 분리시킬 필요가 있어요. 사람들은 그걸 잘 못하는데, 나는 나를 그렇게 놔두지 않습니다. 스타로서의 업적에 대해서는 기쁘고 영광스럽게 생각하고 때로는 감격합니다. 하지만 집으로 가면서 "난 내 이름을 딴 행성도 있지"라고 하지는 않죠. 난 여전히 리버풀에서 버스를 타고 다니던 사람이라고 생각합니다."

－〈빅이슈〉6월호, 폴 매카트니 인터뷰 중에서

그는 매카트니라는 스타와 자기 자신을 이렇게 분리시켜 말했습니다. 매카트니라는 대중적인 스타는 자기 이름을 딴 별도 가진 사람이지만, 일상의 폴 매카트니는 평범한 사람이죠. 사람들은 그걸 분리 못 하고 자기자신의 신화를 믿기 시작해요.

같은 맥락으로 저는 위인전을 싫어합니다. 위인전은 우리들을 좌절하게 만들죠. 그 이야기를 읽다보면 위인들은 어려서도 위인이었을까 싶어요. 싸움 한 번 안 하고, 부모님 속 한 번 안 썩이고 자랐다는데 그게 가능할까요? 물론 압니다. 그들의 인생을 왜 그렇게 구성하는지 알겠어요. 짧은 시간에 사람들을 집중시켜야 하기 때문이죠. 하지만 그 때문에 한 사람의 인생을 왜곡시킨다는 게 함정입니다. 진실의 한쪽 부분만을 아주 강하게 비추는데, 그것은 매우 위험한 방법입니다. 위인들도 아빠고 엄마고, 기저귀도 갈아줘야 하고 생강도 까야 합니다. 어떻게 별을 가진 사람이 생강을 까? 라고 하면 안 된다는 거죠. 그런데 대부분 그렇게 생각해요. 어떻게 회장님이 생강을 까?

이게 우리나라 사람들이 가지고 있는 권위의식 같아요. 문제는 이 권위의식을 윗사람들은 잘 고치려 하지 않는다는 거예요. 그러니 여러분이 스스로 이걸 없애나가야 합니다. 우선 가까이 있는 저를 먼저 검증하세요. 박웅현의 말이 얼마나 옳은지 보고, 옳은 부분은 좋아하되 그렇지 않은 부분은 반면교사로 삼으세요. 박웅현만이 아니라, 선배, 교수, 부모님 모두를 상대로 그렇게 하세요. 이게 우리 사회가 건강해지는 가장 좋은 방법이라고 생각합니다.

엘리베이터에서 사장님이나 회장님 만나면 당당하게 인사도 하세요. 어쩔 줄 모르고 구석에 서 있지 말고, 이야기 나누면 되는 거죠. 어떤 상황에서도 비굴하게 굴복하지 마세요. 똑똑한 젊은 사람들이 그러지 않았으면 좋겠어요. 인생이 너무 슬퍼지는 것 같아요.

사진을 보세요. 스티브 잡스의 사진인데요. 제가 보기에는 배경이 맨해튼에 있는 애플숍 같아요. 우리 식으로 하면 주인이 들어갔다 나오는 건데요, 보세요. 주머니에 손 넣고 무심하게, 그냥 행인 2와 다를 게 없습니다. 그리고 어떤 사진에는 스티브 잡스가 어느 레스토랑에 갔다가 사람이 많았는지 식사를 못 하고 그냥 나오는 모습이 찍히기도 했어요. 저는 정말 신선했어요. 아무것도 아닌 사진이지만 아무것도 아닌 게 아닌 걸로 다가왔어요. 이런 모습이 우리나라 재벌 회장님에게 가능하다고 생각하세요? 불가능합니다. 의전이 있어야 하고 비서를 대동해야지 어딜 회장님께서 혼자 식사하러 가시겠습니까?

빌 게이츠 스피치를 듣고 온 사람에게 전해들은 이야기입니다. 워낙 인기 있는 강연이다 보니 사람들이 1시간 30분씩 줄을 서서 기다렸답니다. 뒷목이 볕에 다 탈 정도였다고 해요. 그런데 그가 서 있던 줄 저 앞에 어느 회사 부장이 서 있었대요. 그래서 그 부장도 강연 들으러 왔나보다 하는데, 강연 시작 5분 전에 그 회사 회장이 오고 그 부장이 자리를 비켜주더랍니다. 그 부장이 미리 와서 회장 대신 줄을 서 있던 거

죠. 그런데 그 부장이 돌아오는 길에 자기 머리를 치길래 왜 그러냐고 물었더니, 일어서서 나가는 모습을 회장님께 보이지 말았어야 했는데 실수했다며 속상해 하더랍니다. 회장님이 부담스러우시면 안 되니까요. 무섭지 않은가요? 실제로 대한민국에서 이런 일들이 아무렇지 않게 벌어지고 있어요.

제가 다니고 있는 광고회사 TBWA의 월드 와이드 CEO가 '장 마리 드루'라는 사람이에요. 업계 사람들 모두가 존경하는 사람입니다. 실제로 만나본 적이 있는데, 20분 정도 이야기해보면서 그가 배려심 좋고, 겸손하고, 괜찮은 사람이라는 걸 느꼈어요. 그가 회사에 찾아와서 전사 팀장 회의에서 잠깐 스피치를 했어요. 그때 손을 흔들면서 회의실로 들어와 편안하게 이야기하는 중에 두 가지 인상적인 말을 했어요.

"다른 문화를 접할 때 우리에겐 두 가지가 필요합니다. 호기심과 존중. 그리고 윗사람이 될수록 중요한 것은 다른 사람의 재능을 사는 일입니다. 프랑스 속담에 '재능은 다른 사람들의 재능을 발견하는 것이다'라는 말이 있죠."

이런 멋진 이야기를 하더군요. 여기서 설득이 되는 거죠. 격식 없이 들어와서 편안하게 이야기하는데 그중 몇 가지가 무릎을 치게 하는 힘이 있었어요. 권위는 이렇게 생기는 것 같아요.

장 마리 드루 이야기를 조금 더 하자면 세계적인 CEO임에도 한국에 올 때 혼자 왔어요. 비서를 데리고 오면 비행기 값이며 체류비 등 돈이 두 배로 드는데 그럴 필요가 없다는 거예요. 도착해서도 호텔에 들어가 혼자 있더라고요. 그 모습을 보면서 우리나라 기업의 회장이라면 가능한 일일까 생각해봤습니다.

스티브 잡스나 장 마리 드루 같은 모습의 회장님이 대한민국에서 가능할까요? 회장님을 만나려면 우리는 의전, 마호가니 가구로 치장된 대리석의 긴 복도를 거쳐야 해요. 그 복도를 걷는 동안 그런 것들에 벌써 기가 죽죠. 세상은 이런 식으로 권위를 조장하고 우리는 너무 쉽게 굴복해요. 하지만 만들어진 권위에 절대 속지 말아야 합니다.

또 한 번은 애플의 스티브 잡스의 동료였던 광고계의 전설, 리 클라우를 LA 사무실에서 만날 일이 있었습니다. 짧은 만남이었는데 아직도 강렬하게 기억에 남아 있습니다. 그를 만나러 사무실에 가서 조금 기다리니 반바지에 티셔츠를 입은 사람이 들어와요. 그 사람이 자기가 리 클라우라며 인사를 하는데, 앞의 사진에서 본 스티브 잡스와 같은 모습이었죠. 멋진 수트는커녕 의전도 없고 마호가니 가구나 대리석의 긴 복도도 없었지만 저는 그 사람과 이야기를 나누면서 저절로 고개가 숙여졌습니다. 저는 그런 경우는 아주 기분 좋게 고개를 숙이죠. 하지만 무조건 "회장님 나오십니다"로 기를 죽이려는 권위는 절대 동의하지 않습니다.

여러분도 동의하지 않았으면 좋겠어요. 사회는, 기득권 세력은 고분고분한 사람을 원합니다. 그럴 수밖에 없죠. 자신의 것을 지키기 위해서는 도발하는 사람이 있어서는 안 될 테니까요. 때문에 권위를 보이면서 복종하고 따라오라고 무언의 협박을 하죠. 우리는 그런 가짜 권위들을 검증하는 태도를 취해야 합니다.

우리를 무서워하게 해야 해요. 무조건 복종하는 사람들을 무서워하진 않아요. 회장님에게도 건의할 수 있는 거예요. 아닌 건 아니라고 말할 수 있어요. 상대 눈치를 보는 가장 큰 이유는 돈을 주는 사람이라는 생각 때문일 텐데, 우리는 공짜로 일을 하는 게 아니잖아요? 그쪽의 시혜를 받는 게 아니란 말이죠. 정당하게 일을 하고, 일한 만큼의 대가를 받는 것이니 할 말은 해야 하는 겁니다.

강의할 때마다 농담처럼 윗것들만 잘하면 된다고 말하는데 시간이 지날수록 그게 정말 맞는 말이라는 생각이 듭니다. 여기 계신 분들보다 제가 잘해야 한다는 걸 최근에 더 느껴요. 만약 여러분들이 제 팀원인데 제가 판단을 잘못해서 어떤 단어 하나를 내주고 "그걸 깊게 생각해봐" 하고 집에 갔다고 쳐요. 그리고 다음 날 와서 "생각해보니 그 단어는 아닌 것 같다" 이렇게 말하면 여러분들이 뭐가 됩니까? 나는 딱 한마디 한 것이지만 팀원들은 그 한마디에 잠 못 자고 밤을 샜을 거고요. 그러니 윗사람이 어떻게 방향을 잡느냐가 매우 중요하고, 그렇기 때문에 그만큼의 책임도 따르는 겁니다. 이 세상에 공짜는 없으니까요. 윗것, 돈도 많이 벌고 존경도 많이 받는데다가 일도 덜해요. 그러면 잘해야죠. 이런 이야기를 젊은 분들 앞에서 하면 열화와 같은 성원을 받는데, 팀장 이상 급이 모인 자리에서 하면 헛기침이 나오고 분위기가 싸늘해집니다.

어찌됐든 제가 하고 싶은 말은 계급장을 떼자는 겁니다. 저는 윗것으로서 회의실에서 계급장을 떼려고 합니다. 매번 성공하지는 못합니다. 많이 실패하죠. 그래도 계속해서 노력합니다. 인턴이건 팀장이건 '누가' 하는 말이냐가 아니라 그 말이 '무엇'이냐가 중요하다고 생각하고 듣고, 보려고 애씁니다.

글로벌 운송회사 페덱스(Fedex) 광고 중에 이런 것이 있었어요. 인터넷으로 페덱스를 이용하면 10퍼센트 할인을 해주겠다는 메시지를 전하는 광고였어요. 매우 딱딱한 이야기죠. 저라면 그냥 자막 광고를 했을 텐데, 이 광고는 매우 재미있게 만들었어요. 덕분에 저는 잠깐 좌절을 했었죠. 설명을 해보면, 사무실에 테이블이 있고 여섯 명이 둘러 앉아 있어요. 맨 위쪽 가운데에 팀장이 앉아 있고요. 전형적인 회의 모습입니다.

팀장 : (무게를 잡고) 우리 팀 경비 절감을 해야 하니 아이디어를 내봐요.

꺼벙하게 생긴 팀원 1이 소심하게 말문을 엽니다.

팀원1 : 음……. 인터넷에 페덱스 사이트를 열고 온라인으로 주문하면 10퍼센트 디스카운트를 해주죠.

다른 팀원들은 팀장 눈치를 보고 조용한 가운데 4~5초 정도 흐른 후에 깍지 낀 채로 눈을 감고 듣던 팀장이 갑자기 입을 열죠.

팀장 : OK. 나한테 생각이 있어.(손으로 허공을 가볍게 내리치며) 페덱스 온라인 사이트를 열고 온라인으로 주문하면 10퍼센트 디스카운트를 해주지.

그러자 다른 팀원들이 좋은 아이디어라고 박수를 치며 감탄합니다. 팀원 1은 황당하겠죠? 자기 의견이랑 똑같으니까요. 그래서 묻죠.

팀원 1 : 방금 제가 한 이야기와 똑같은 소리 같은데 뭐가 다른 거죠?

그러자 팀장이 말합니다.

　　팀장 : 너는 이게(손동작을 하며) 없었어.

　사실 이 에피소드는 창의력에 대해 이야기할 때 예로 드는 겁니다. "팀장님들, 당신들이 창의적인 아이디어를 얻고 싶으면 후배들의 말을 자신의 것과 똑같이 들어주세요"라고 할 때요. 웃자고 만든 광고지만 영어문화권에서도 이런 일들이 일어납니다. 이와 같은 경우에 팀장에게 존댓말을 써야 하는 우리 문화에서는 더 어렵습니다. 그래서 팀장과 인턴이 똑같은 이야기를 하면 팀장의 말이 더 중요해요. 권위죠. 그러니까 윗사람에게 저항해야 합니다. 그리고 본인이 윗것이 되었을 때 똑같이 후배들의 도전을 받을 준비를 해야 합니다.

　권위에 굴복하지 않는 것도 중요하지만, 더 나이 먹어 윗것이 되었을 때 권위를 부리지 않는 태도도 중요합니다. 권위는 우러나와야 하는 거예요. 내가 이야기한다고 되는 게 아니라 상대가 인격적으로 감화가 돼서 알아줘야 하는 거예요. 그게 권위입니다. 절대 긴 복도가 권위가 되어서는 안 되는 거죠.

영어 강박증

　자, 영어문화권을 예로 든 김에 우리 영어 이야기도 한 번 짚고 넘어가 볼까요? 우리 삶에 영어의 권위가 얼마나 센지 느끼고 계십니까? 한

번은 대중강연을 갔을 때인데, 객석에 3천여 명이 앉아 있고 세 명의 강사가 강연을 했습니다. 그중 한 사람이 외국인이었어요. 모든 청중이 한국 사람들이기 때문에 당연히 한국말 강연으로 이루어졌습니다. 그 외국인의 강연은 통역사가 통역을 해주었고요. 강연이 끝나고 질의응답 시간에 아주 똘똘해 보이는 여학생이 손을 들더니 외국인한테 질문을 했어요. 아주 유창한 영어로요. 그 외국인도 영어로 답을 해줬고요.

그 여학생은 왜 영어로 질문을 해야 했을까요? 3천 명의 청중이 모두 영어를 잘 하는 것도 아니고 통역사가 없는 것도 아닌데요. 못 알아 듣는 사람에게 너는 영어 모르니까 듣지 말라는 것과 뭐가 다를까요? 여기는 대한민국입니다. 대한민국에서 대한민국 사람들이 강의를 들으러 왔는데 영어를 몰라 무슨 이야기인지 몰라야 한다는 건 말이 되지 않습니다. 이처럼 우리나라에서는 영어 권위가 기승을 부립니다.

1930년생인 우리 어머니는 그 시절에 대학까지 나오신 지식인이시지만 지금 이 시대를 살고 있는 어머니는 외계인이 되어가고 있습니다. 영어 때문에 말이죠. 주차장에 가면 IN, OUT이라고 써 있어요. 우리야 배웠으니 그 정도 안다고 칩시다. 하지만 영어를 모르는 사람이 그 주차장을 이용했다가는 교통사고 나기 딱 좋습니다. 이런 불친절이 어디 있습니까? 도처에 깔린 그 많은 영어들은 도대체 뭘까요?

얼마 전에는 길을 지나는데 이삿짐센터 차가 보였어요. 'Move Management Specialist'라고 써 있더라고요. 그냥 이삿짐센터라고 썼으면 더 쉽게 알 수 있지 않았을까요? 차 이야기 하나 더 해드리면 어느 유치원 버스인데 'Great Teacher, Smiling Kids, Nice School'이라고 써 있더군요. 아파트의 이름도 마찬가지입니다. 그랑빌, 쌍떼빌, 브라운스톤, 자이, 힐스테이트. 시어머니들이 집을 못 찾게 하기 위한 며느

리들의 음모라지만 이게 도대체 무슨 소리예요. 대우, 대림, 현대, 삼성 아파트 어디 갔을까요? 한국통신은 이제 KT예요. 한국전력이라는 이 멋진 이름 대신 우리는 '켑코(KEPCO)'라고 부르죠. 남양알로에라는 브랜드 가치가 있는 이름이 '유니베라(UNIEVERA)'가 됐고, 새마을금고는 'MG', 주택공사가 'LH'입니다. 농촌진흥청 사이트에 제일 좋은 과일을 기른 농부에게 주는 상 이름이 탑푸르트(Top Fruit)인 걸 확인하는 순간, '아, 이건 영어에 대한 강박이다'라는 결론을 내렸어요.

은퇴했지만 제가 좋아하는 CF 감독, 김규환 씨와 호주로 촬영을 간 적이 있어요. 촬영장에 외국인 모델들이 캐스팅을 위해 찾아왔어요. 우리가 선택을 하는 입장인데도 180센티미터가 넘는 금발의 여자들이 쭉 서 있으니까 이쪽에서 다들 기가 죽었죠. 그런데 김규환 감독이 가더니, "어 그래, 이 친구 괜찮네"라면서 한국어로 의견을 말하고 통역을 시켰어요. 만약 영어로, "You beautiful" "I like it", 이런 식으로는 말하고자 하는 바의 절반도 전달할 수 없었을 거예요. 김규환 감독은 모델들을 찬찬히 살피고 한국어로 의견을 전달하고 통역사에게 말을 전하게 했죠. 당시에 그 눈빛에 모델들이 압도돼서 떨더라고요. 생각해보면 그렇지 않나요? 외국이라고, 외국인 모델과 일을 한다고 해서 모든 말을 꼭 영어로 할 필요가 있을까요?

오카 야스미치(Yasumichi Oka)라는 유명한 일본 크리에이티브 디렉터가 있어요. 영어는 한마디도 못 하는 사람이에요. 애드 페스트(AdFest)에서 심사를 하면 통역을 데리고 와서 자신의 생각을 정확하게 전달해요. 아무런 문제가 없어요. 영어의 권위에 굴복하지 않는 거죠.

오해하지 마세요. 저는 영어를 공부하지 말자는 이야기가 아닙니다. 영어 앞에 주눅들지 말자는 이야기를 하고 있는 것이죠. 나의 필요에 의해 영어를 공부하되, 한국 사람으로서 영어를 모른다고 창피해 할 필요는 없습니다. 영어 권위에도 저항할 필요가 있어요. 영어는 수단일 뿐이지 목적이 되어서는 안 된다는 것을 잊지 마세요. 영어 이야기를 마무리하면서 제가 전에 썼던 칼럼 「언문'의 시대는 끝나지 않았다」를 보여드릴게요.

「'언문'의 시대는 끝나지 않았다」

새삼스레 국어순화운동을 말하고 싶지는 않다. 多 있다, We하여, e편한 세상, 따위의 말을 만들어서 그렇지 않아도 복잡한 세상 더 복잡하게 만드는 일이 우리 광고인이 하는 일의 일부임을 생각해볼 때, 국어순화운동 같은 것은 후안무치의 짓일 뿐이다. 혹, 내가 그 정도 뻔뻔스럽다 해도 그래서 국어순화운동을 한다고 해도, 국어가 순화될 가능성은 우리 정치가 순화될 가능성만큼이나 희박하다.

어차피 언어는 살아 있는 유기체이기 때문이다. 많은 사람들이 쓰는 말이 표준어가 된다는 점에서 언어는 집단의 습관일 뿐이다. 집단의 습관이 '안냐세염! 따랑해, 당신은 내꼬얌!'이라면 그냥 그런 것이다. 그렇게 언어는 변해가는 것이다. 그러다 보면 새로운 언어들이 교과서에 실리고 '안녕하세요' '사랑해' '내 거예요'는 하염없이 고어가 되어 버리는 것이다. 학교에서 아이들은 '얼짱'인 '샘'에 대한 짝사랑을 '엠창까고' 회사에서 직원들은 밥 맛없는 '찌질이' '국잼'의 '꼬진' 업무 지시를 '깡으로' '씹을' 것이다. 바야흐로 채팅용어는 표준어를 향한 장정을 이미 시작했다.

그들은 이제 집에서 KT전화, 밖에서는 KTF 혹은 SKT, LGT의 이

동전화로 삼성SDI가 생산한 모니터를 통해 본 'TV' '드라마'에 대해 수다를 떨 것이다. 그리고 'CJ'가 만든 '팻다운' 음료를 마시고 또 언젠가는 'KT&G'가 생산한 담배에 대한 유혹을 느끼기도 할 것이다. 엄마와 함께 '이마트'나 '코스트코'에서 '쇼핑'을 할 것이고 또 가끔은 '케이블' 방송 '홈쇼핑 채널'을 이용하기도 할 것이다. '빕스' '스카이라' '아웃백스테이크' 'TGIF' '씨즐러' '베니건스' 등에서 친구를 만나 '테크노마트'에 있는 'CGV'나 '코엑스'에 있는 '메가박스'에서 '러브액추얼리'나 '올드 보이' 같은 영화를 볼 것이다.

우리 시대는 지금 영어를 편식하고 있다. 그리고 우리의 언어습관은 '햄버거'와 '치킨'을 좋아하다 체형이 망가지는 아이들을 닮아가고 있다. 주기적으로 단 것을 먹어야 하는 당뇨병 환자처럼, 주기적으로 영어를 쓰지 않고는 생활을 할 수 없게 되어버렸다. 두세 장짜리 '애드브리프'를 쓰는데 박경리의 『토지』 21권 전체에 쓰인 것보다 훨씬 더 많은 영어 단어를 쓰고 있다. 그렇게 우리는 우리 말의 건강함을 잃어가고 있다.

"고려 청자 매병을 바라보고 있으면 고요의 아름다움 속에 한 가닥 부푼 정이 엷은 즐거움마저 풍겨준다. 부드럽고도 홈홈한 병 어깨의 곡선이 허리로 흘러서 다시 굽다리로 벌어진 안정된 자세도 빈틈이 없지만, 그 위에 기품 있게 마감된 작은 입의 조형 효과는 이 병의 아름다움을 거의 지배하고 있다는 생각을 갖게 해준다."

최순우의 『무량수전 배흘림 기둥에 기대 서서』에 나오는 한 구절이다. 이 책을 읽다 보면 문장에 기름기가 흐르기 위해서 반드시 영어라는

'버터'가 필요한 것이 아님을 느낄 수 있다. 느낄 수는 있되, 실천할 수 없다는 것이 아쉬울 뿐이다. 하긴, 그 아쉬움 자체가 사치인지도 모른다. 내 직업이 이미 '카피라이터'이고 '크리에이티브 디렉터'인데 무엇을 더 기대하겠는가?

누군가 말했다. '언문'의 시대는 끝나지 않았다고…… 쓸 데 없는 생각일랑 빨리 접어버리고, 'KTF' 'MNP' '캠페인'의 'TV-CM' 'PPM'에나 들어가야겠다.

제가 권위에 대해 이런 사유를 하게 된 것은 아마도 제 직업의 영향이 있지 않았나 싶습니다. 광고회사에 다니는 분들이라면 이해하실 텐데, 제 직업은 아주 철저한 '을'입니다. 그래서 그 '갑을관계'를 견디지 못하고 능력 있는 많은 후배들이 업계를 떠났습니다. 실제로 상도의에 어긋나는 비합리적인 일들이 자주 일어납니다. 예를 들어 5시에 회의 약속을 잡아놓으면 한 시간은 기다리고 있어야 광고주가 나타난다든지, 최선의 노력을 다해 만들어 가지고 온 프레젠테이션을 무성의하게 듣는다든지 별별 일이 다 있죠.

한번은 열심히 설명을 하는데 광고주 쪽 팀장이 코앞에 앉아서 졸고 있었습니다. 보통은 그냥 눈감고 넘어가는데 그날은 도저히 못 넘어가겠더군요. 한 달 동안 준비를 해서 가져간 것이고, 팀장이 회의가 있다고 해서 30분을 기다려 시작한 프레젠테이션이었어요. 팀장은 성의 없이 들어와서 마치 자려고 마음먹고 온 사람처럼 5분 만에 잤고요. 너무 화가 나서 결국 설명하다가 접었습니다. 팀장님 피곤하신 거 같으니까 좀 주무시고 오라고, 30분 후에 뵙자고 했죠. 물론 분위기는 싸늘해졌죠. 그래도 할 말은 해야 했습니다.

언젠가 그런 식으로 불합리한 대접을 받은 날, 상도의에 어긋나는 경험을 또 하게 됐던 날, 너무 화가 나서 소주를 좀 마시고 혼자 국립도서관 정원에 앉아 있었어요. 그러다 평소에 거의 하지도 않던 트위터에 들어가서 '동의되지 않는 권위에 굴복하지 말고 불합리한 돈의 힘에 복종하지 말자'라는 글을 남겼습니다. 후배들에게도 이렇게 말합니다. 동의되지 않는 권위에 굴복하지 말라고요. 그리고 한 가지 더 덧붙여서 너 자신도 권위를 부리지 말라고 하죠.

광고회사에는 갑도 있지만, 을도 있습니다. 이렇게 분류하는 게 우습지만 이해를 돕기 위해 굳이 나눈다면 우리와 일을 함께하는 프로덕션 스태프들이 을의 입장이 되겠죠. 저는 그분들을 대할 때 조심스러운 태도를 갖추려고 노력합니다. 정말 노력해요. 하지만 나도 모르게 풀어질 때도 있어요. 광고주나 어느 회장을 만날 때 권위에 기죽지 말아야지 다짐하면서도 어느새 긴장하고 있고, 프로덕션 사람들을 만나면 저도 모르게 앉는 자세부터 편안해집니다. 그렇기 때문에 더 신경을 쓰고 긴장을 하려고 합니다. 그래서 우리 팀원들에게도 "갑을 만날 때에는 을처럼 대하고 을을 만날 때 갑처럼 대하라"라는 이야기를 자주 합니다. 이건 일을 할 때 아주 중요한 덕목입니다.

제가 담당하고 있는 여러 팀 중 한 팀과 광고 준비를 하던 중에 난리가 난 적이 한번 있어요. 프로덕션 감독이 준비한 콘티를 인쇄해서 나눠주고 회의를 시작했습니다. "한 장씩 넘기면서 설명드리겠습니다"라는 감독의 말이 끝나기도 전에 2년 차 직원 한 명이 그 자료를 성의 없게 넘겨보고 있는 게 제 눈에 들어왔습니다. 그때 그 팀 모두 제게 많이 혼났습니다. 그 자료는 감독이 최선을 다해 준비한 시안입니다. 그걸 2

년 차가 뭘 얼마나 안다고 눈대중으로 보고 있어요? 감독이 한 장씩 넘기면서 설명하겠다고 할 때에는 다 그만한 이유가 있는 건데요. 어디서 그렇게 배웠느냐고 혼을 냈죠.

하는 일이 이렇다 보니 이런 경험을 참 많이 합니다. 우리가 프레젠테이션을 준비한다는 것은 프로들이 모여서 최선을 다한 결과물입니다. 그러면 기본적으로 정성스럽게 들어줘야 해요. 그 어느 누구도 본인이 무슨 천재라고 열 장 가까이 되는 자료를 후루룩 탁 넘기고 나가버릴 수는 없는 겁니다. 그건 준비한 사람들을 전혀 배려하지 않는 행동이죠. 그래서 틈만 나면 후배들에게 강요된 권위에 저항하고 동의된 권위에 굴복해야 한다고 이야기합니다.

여러분도 자신한테 강요되는 권위, 긴 복도, 복잡한 의전, 회장님, 판사라는 껍데기뿐인 직업과 직함에 저항하세요. 그런데 판사가 정말 속까지 존경할 만한 사람이라고 판단이 되면 그 권위에 굴복해야죠. 회장님이 회사를 일군 역사를 보니 존경할 만하다 생각되면 굴복하고, 다음 날 회사 안건에 대한 회장님 판단이 옳지 않다면 그 부분에 대해서도 인정하세요. 우리는 그게 안 되는 것 같습니다. 사람은 누구나 불완전한데 말이죠.

인생을 가장 멋지게 사는 방법

딸에게 인생을 멋지게 사는 방법을 알려줬던 걸 말씀드려볼게요. 누구나 실천 가능한 일입니다. 그래서 누구나 이룰 수 있는 일이고요.

인생을 멋지게 살고 싶다면, 강자한테 강하고 약자한테 약해져라.

강자한테 당당하게 고개 들고 약자한테 푹 숙이세요. 예전 故 노무현 대통령 사진 중에 신문사 사주들을 만났을 때 눈을 보면서 악수하고, 농민을 만나 인사할 때는 고개를 숙이는 모습이 있었어요. 저는 그런 삶의 태도가 제대로 사는 방법인 것 같습니다.

니코스 카잔차키스의 『영국기행』에는 이런 구절도 나옵니다.

> 영국인들은 외부의 법규는 모름지기 개인 내부의 입법자에게 비준을 받아야 한다고 생각한다.

이게 오늘 이야기의 핵심입니다. 바깥에 있는 권위는 내 안의 입법자로부터 비준을 받아야 합니다. 비준을 받지 않은 채 무조건 따라서는 안 되죠.

리들리 스콧 감독의 〈킹덤 오브 헤븐〉이라는 영화가 있습니다. 올랜드 블룸이 주인공 '빌리안'입니다. 그는 원래 대장장이였지만 전쟁에서 훌륭한 전사로 싸웠어요. 전쟁이 끝나고 다시 자신의 삶을 향해 돌아가죠. 그런데 국왕이 십자군 원정을 떠나는 길에 그를 찾아와 '예루살렘을 지켰던 빌리안'을 찾아왔다고 말합니다. '전사 빌리안'이 필요하다는 이야깁니다. 그 말에 빌리언은 자신은 대장장이라고 대답을 합니다. 왕은 다시 말합니다. "나는 영국의 왕이다." 빌리언이 뭐라고 답했을까요? 상대가 왕이니 무릎을 꿇었을까요? 아니요. 그는 곧은 시선으로 왕을 보고 대답합니다.

"…… 전 대장장이입니다."

이 장면에서 빌리언은 왕에게 쩔쩔매거나 대답하기를 망설이지 않아요. 왕의 권위에 굴복하지 않았어요. 전사 빌리언이 아닌 대장장이이고자 한 자신의 의지를 저 짧은 말로 왕의 앞에서 보인 겁니다. 왕은 그의 대답이 무슨 의미인지 이해하고 바로 말을 돌려 갈 길을 갑니다. 그의 의지를 인정한 거죠. 저는 우리에게도 빌리언과 같은 자세가 있었으면 좋겠어요.

제가 굴복하지 말고 저항하라고 한 대상은 충분히 힘이 센 사람들입니다. 나의 저항으로 상처받을 그들을 걱정하지 않아도 된다는 이야기입니다. 그러니 강하게 하셔도 됩니다. 우리가 걱정하고 약해져야 할 사람들은 따로 있습니다. 하루하루를 열심히 사는 사람들, 사회의 약자들, 그런 이들을 무서워하세요. 그 사람들은 무조건적으로 존중하세요. 저기 높은 빌딩 꼭대기에 있는 사람들보다 그런 분들을 더 귀하게 여기세요. 그렇게 하면 나도 존중받을 수 있습니다.

그리고 옳은 게 이긴다는 걸 믿으세요. 옳은 말은 힘이 셉니다. 그러니까 내가 판단하는 것이 옳은지 그른지 계속 생각해보고, 내가 옳다고 생각하면 윗사람이 무슨 이야기를 하든 관철시켜 나가야 합니다. 저는 이것이 젊음을 대하는 자세 중 가장 중요한 것이라고 봅니다. 그 젊음이 어떤 젊음입니까? 얼마나 귀한 청춘인데 내 젊음을 놓고 남의 기준점에 맞춰서 사는 겁니까? 노래 가사에도 있죠. 쩨쩨하게 굴지 말고 가슴을 쫙 펴라고요. 내일은 내일의 해가 뜹니다.

마흔까지는 권위에 도전하고 정면교사, 반면교사 다 해보세요. 그리고 마흔이 되면 그때 태도를 바꾸십시오. 그때는 말만이 아니라 진짜 행동으로 옮겨야 하는 때입니다. 나이 마흔에도 말만 하고 있는 것은 바람직하지 않습니다. 마흔에는 행동으로 옮겨 뒤따라오는 후배들에게 조금이라도 좋은 조건을 만들어주세요. 내가 봤던 잘못된 것들을 과감히 개선하고, 그러면서 한편으로 도전받을 준비를 해야 합니다. 논쟁을 준비하세요. 그게 누구든, 문턱을 넘어선 것과 상관없이 정당하게 논쟁하고 인정하고, 존경하고 또 다시 저항하면서 사십시오. 존경은 아래로 가도 아무런 문제가 없습니다.

잊지 맙시다. 우리는 약하기도 하고 강하기도 합니다. 그래요. 우리는 약합니다. 『현시창』이라는 책에 나온 사람들처럼 억울한 일도 당하고, 88만원 세대에 취업도 안 되고, 사회에서 자리잡기도 힘들고, 결혼도 못 하고, 집도 없습니다. 하지만 우리는 약하기도 하고 강하기도 합니다. 모든 사람들이 다 그렇습니다. 맨 위에 있는 사람도 저 아래 있는 사람도 똑같아요. 그러니 균형을 맞추기 위해 윗사람들에게 강하고 아랫사람들에게 약한, 강자에게 강하고 약자에게 약한 여러분이 되시길 바랍니다.

疏通

소통

마음을 움직이는 말의 힘

疏通

주변의 고수를 모으며, 어떻게
어떻게 회사조직을 만든다
같은 경계체계 갖춘 것
CEO의 다섯가지.

원래 정통하라. 일이라는 것.
2통안됨 때의 호신, 벤처의
집중. 같은 메이지.   ★
人생도 마찬가지. 애인, 부부.
부모, 저녁 - 모두 적용.

외 어렵나 다르기 때문.
易地. 女 - Bake Goodness.
몇가지 (예). 일방 통행.
두가지 야기 ⑦ 易地思之
            ② 미생

① 어렵지만 1분 호스님, 정
   S - M - R. 포유스트.
   아이와의 /2통. 진심. 그 회장.
   그래야 옥/나 길이 생긴다

─ 인터뷰 (예) - Hunying 이민로, 밀크.
② 디자인 : 누수함
순환 논리.
훈련 안되어 있다. 서정과 논리.
데이터. 영어로 교육
1차 논리. 끄지락지 다노
생각의 정리 ① → 미생
        포장 ② → 디자인

★ "뭘 할지 모르면 회의실
    나가지 마라."
  - 文脈. 같이 설명해 주기.

14지막 탐, 7단의 법칙
메인지 뿔. - 한 말 정리
짧게 해 봐라.
잘 안되면 생각이 명료하지
      않은 거다

젊음 혹은 삶을 대하는 데 있어 개인적으로 매우 중요하다고 생각되는 여덟 가지 키워드를 추려 시작한 강의가 벌써 일곱 번째에 접어들었습니다. 이번에 나눌 주제는 '소통'입니다. 사실 저에게 소통은 그다지 눈길이 가는 덕목이 아니었습니다. 그러나 지금은 살아가는 데 있어 무엇보다 중요한 키워드라고 생각합니다.

처음 소통이라는 단어를 환기하게 된 계기는 경영학자 피터 드러커의 책『CEO의 8가지 덕목』에 대한 서평을 통해서였습니다. 서평에는 피터 드러커가 주장하는 8가지 덕목이 단정하게 정리되어 있었습니다.

첫째 '무엇을 하고 싶나'보다 '무엇을 해야 하나' 묻는다.
둘째, 무엇이 기업을 위한 길인가 생각한다.

셋째, 계획표에 따라 행동한다.

넷째, 기꺼이 책임을 떠맡고 결정을 내린다.

다섯째, 효과적인 커뮤니케이션 구조를 만든다.

여섯째, 기회를 놓치지 않는다.

일곱째, 생산적 미팅 시스템을 구축한다.

여덟째, 항상 '우리'라고 말한다.

그런데 개인적으로 처음에는 판단력을 가지고 비전을 제시하고 리더십을 가져야 한다는 대부분의 덕목은 이해가 됐으나, 다섯째에서 언급한 커뮤니케이션만큼은 선뜻 납득이 되지 않았습니다. CEO라는 최고의 결정권자에게 소통이 그렇게 필요할까 싶더군요. 그런데 오랫동안 회사생활을 하고, 윗사람이 되어보니 소통은 불필요한 노동을 없애주는 매우 중요한 것이었습니다. 소통을 잘하면 그것만으로 일을 덜 하게 되기 때문이었습니다.

쉽게 이해할 수 있도록 우리 팀이 회의를 한다고 가정을 해보죠. 아이디어를 내야 하는 광고 업무는 소통이 되지 않는다면 손실이 생기기 마련입니다. 그래서 저는 늘 회의실에 100년 차가 들어간다고 말을 합니다. 보편타당한 경력의 그만그만한 몇 명이 들어가는 게 아니라, 25년 차 카피라이터인 저와 17년 차 아트디렉터와 15년 차 후배 카피라이터 등 그 공간 안에 있는 사람들의 경력을 합치면 100년 차 경력의 광고인이 들어간다고요.

그런데 만약 이 100년 차가 회의실에 들어갔는데 가고자 하는 방향을 공유하고 있지 않다면 100년 차의 전력은 분산되는 겁니다. 그 상태로 회의가 끝나고 '내일 다시!' 하게 되면 24시간 동안 25년 차는 25년 차의 머리를, 17년 차는 17년 차의 머리를 굴리겠죠. 다 각각의 방향을 가지고 나름의 생각을 할 겁니다. 그러나 다음 단계를 위해서는 같이 바라볼 한 지점이 필요합니다. 그래야 25년 차, 17년 차, 15년 차가 각자 머리를 굴리더라도 100년 차의 전력을 발휘할 수 있습니다. 이건 소통 없이는 불가능합니다. 그래서 우리 팀은 나가서 뭘 해야 할지 모르면 회의실을 나가지 말라고 합니다.

그리고 회의가 끝날 때쯤에는 제일 고참인, 25년 차인 제가 '오늘은 별 거 없으니 그냥 쉬자'라거나 '오늘은 꼭 이 주제를 발전시켜 보도록 하자'라고 방점을 찍어줍니다. 그래야 편히 쉬든, 버스를 타고 집에 가면서도 아이디어를 떠올리든 할 게 아니겠습니까? 소통만 잘 돼도 언제 어느 때 떠오를지 모르는 아이디어의 분산을 막고, 집중할 수 있는 기회를 놓치지 않을 수 있습니다. 그런데 만약 제가 아무 말 없이 휙 나가버린다면, 남은 사람들은 뭘 해야 할지 모르고 갈팡질팡할 겁니다. 더 생각을 해야 하나 말아야 하나 고민하다가 시간이 다 가겠죠. 괜히 야근이나 철야를 하는 사람이 생길 수도 있고 말이죠. 그러니 방향을 정해주지 않은 채, 소통하지 않고 혼자 독단적으로 회의를 이끄는 건 죄악이라고 말해도 될 정도입니다.

그렇다면 우리 팀 이야기에서 조금 확대해볼까요? 3천 명의 직원이 있는 기업의 CEO가 있다고 합시다. 그 CEO가 직원들에게 일의 목적과 비전을 세워주고, 성취감을 안겨 회사의 발전으로 이어지게 하는 미션을 성공시키기 위해 가장 필요한 게 뭘까요? 바로 소통입니다. 자기 뜻을 정확히 이야기하고 소통하지 않으면 3천 명과 한 방향을 볼 수 없어요. 그렇기 때문에 CEO의 덕목에 커뮤니케이션이 들어간 겁니다.

물론 이 소통은 꼭 회사나 단체에만 필요한 게 아닙니다. 개인 생활에도 마찬가지로 적용되죠. 부부 관계, 친구 관계, 육아에 있어서도 매우 중요합니다. 소통이 잘 되지 않으면 관계의 난맥상이 생길 것이고 그로 인해 기본 생활이 힘들어지기 때문입니다. 그래서 같은 상황에서 어떤 사람들은 지혜롭게 난관을 헤쳐나가고, 누군가는 헤쳐나가지 못하는 일이 생기는 겁니다. 이렇게 중요한 덕목인데 한편으로는 소통이 잘 되지 않는 경우를 봅니다. 무엇이 문제일까요?

소통이 안 되는 세 가지 문제
: 첫 번째, 서로 다르다는 걸 인정하지 않는다

개와 남자의 공통점에 대해 아십니까? 어디에선가 본 이야기였는데 우스우면서도 공감이 됐어요. 자, 어떻게 비슷한지 한 번 들어보시죠.

· 털이 많다.
· 먹이를 일일이 챙겨줘야 한다.
· 시간 내서 놀아줘야 한다.
· 복잡한 말을 알아듣지 못한다.
· 버릇을 잘못 들이면 평생 고생한다.

남자와 개의 공통점이었고요. 다음은 남자가 개보다 편한 점입니다.

· 돈을 번다.

· 극히 일부를 제외하고 출입제한을 받지 않는다.

· 약간의 난이도가 있는 심부름을 시킬 수 있다.

· 혼자 두고 놀러 다녀도 상관 없다.

· 생리적 욕구도 해결할 수 있다.

자 이제 그럼에도 불구하고 개가 남자보다 좋은 이유입니다.

· 두 마리를 함께 키워도 뒤탈이 없다.

· 강아지의 부모가 간섭하지 않는다.

· 이유 없이 외박하고 돌아와도 꼬리 치면서 반겨준다.

공감이 가나요? 여자분들 어떻습니까? 고개를 끄덕끄덕 하시는 분들
이 많은데 이번에는 남자분들이 공감할 만한 고양이와 여자의 공통점
에 대해 말해보겠습니다.

· 세수를 잘한다.

· 배고프면 혼자 챙겨 먹는다.

· 낮보다 밤을 더 좋아한다.

· 열 받으면 할퀸다.

· 하루에 열두 번 삐친다.

· 변덕이 팥죽 끓듯 한다.

그리고 여자가 고양이보다 편한 점입니다. 잘 들어보세요.

· 밥을 할 줄 안다.
· 데리고 다니면 재채기 하는 사람 없다.
· 나의 분신을 만들어준다.

그런데, 그럼에도 불구하고 고양이가 여자보다 좋은 이유는,

· 목만 쓰다듬어 주면 행복해 한다.
· 무섭고 징그러운 쥐를 잡아준다.
· 꼬리만 밟지 않으면 조용하다.
· 여자는 종일 잔소리를 하지만 고양이는 종종 애교를 부려 심심하
   지 않다.
· 처갓집 개도 날 무시하는데 고양이의 어미는 나를 무시하지 않는다.

이번엔 남성분들이 많이 공감하는 눈치네요. 이것 봐요. 남자와 여자
가 개와 고양이만큼 다릅니다. 개와 고양이도 남자와 여자만큼 다르고
말이죠. 연인들이 다툴 때 말이 안 통한다는 말을 많이 하는데, 다르다
는 걸 인정하면 소통이 조금 쉬워집니다.
   남녀 간의 소통을 쉽게 해주는 책으로 『오래된 연장통』이 있습니다.
우리나라 최초의 진화심리학자인 전중환 씨가 쓴 책인데 읽어보면 상
대 이성을 이해하고 소통하는 데 도움이 될 겁니다. 제목에 쓰인 '연장
통'은 우리의 뇌를 가리키는데, 우리가 하고 있는 모든 행동들은 인간이
수억 년 동안 진화하면서 유전자, 즉 연장통에 박혀 있던 것들이라는
거죠. 내용 중에 진화심리학에 기초한 여자와 남자에 대한 이야기가 나
오는데 매우 흥미롭습니다.

프레데릭 핸드릭 캐머러, 〈Le Dispute〉, 캔버스에 유채, 76.2×50.2 cm

남자가 여자보다 더 잘나서 운전을 잘하고 방향감각이 뛰어난 것이 아니라는 거죠. 수억 년 전 인류가 진화하기 전, 수렵과 채집을 해서 살았던 시절에 남자들은 사냥을 담당했는데, 사냥을 나갔다가 동굴로 돌아오려면 산 아래 나무나 바위의 위치를 정확히 봐야 했어요. 멀리 보지 않으면 살아남을 수 없었죠. 여자들도 마찬가지입니다. 대화를 많이 하고 집안의 배치 등 꼼꼼히 신경 쓰는 이유는 여자들이 특별히 세심해서가 아니라 그 옛날 수억 년 전부터 해오던 여자들의 일이었기 때문이라는 겁니다. 처음부터 이렇게 달랐습니다. 그런데 그렇게 다른 사람들이 결혼해서 살아요. 어떻게 살까요?

결혼을 해서 20년 넘게 살고 있는 저를 예로 들어볼게요. 몇 년 전 회의를 하고 있는데 아내에게 전화가 왔어요. 돈암동 성신여대 앞에서 접촉사고가 났대요. 그래서 다쳤냐고 물었더니 다치지는 않았답니다. 그러면서 자초지종을 설명을 하는 거죠. 그래서 다시 물었죠. 보험사에 연락은 했냐고요. 그랬더니 연락은 했대요. 그러더니 접촉사고가 왜 났는지, 상대방의 잘못이 무엇인지 다시 설명을 해요. 저는 회의 중에 전화를 받은 건데 자꾸 같은 말을 하길래 듣다가 물었어요. "어떻게 할까? 내가 지금 갈까?" 그랬더니 집사람이 매우 섭섭해하며 전화를 끊어버렸어요. 그리고 퇴근 후에 크게 혼났죠.

그런데 당시에 제 입장에서는 저한테 어쩌라는 건지 싶었어요. 이게 남자인 겁니다. 대부분의 남자는 어떤 상황을 접하면 어떻게 풀어야 하는지 해결 방법이 머릿속에서 돌아갑니다. 내가 풀 수 있는 것이면 당장 하고, 내가 풀 수 없는 것이라면 다른 곳에 전화 같은 건 안 하죠. 그냥 처리하면 되는 거예요. 어떻게 해서든.

그런데 반대로 대부분의 여자들의 메커니즘은 '내 이야기를 들어줘'

예요. 답을 원하지 않아요. 접촉사고가 났을 때 해결해달라는 게 아니라, 어쩜 그런 사람이 다 있냐고 맞장구를 치면서 30분 동안 수화기 너머로라도 함께 시간을 보내달라는 거죠. 뇌 구조가 완전히 달라요. 다섯 번 정도 비슷한 경험을 하고 나서 이걸 알게 됐어요. 물론 지금도 완벽하진 않죠.

남자와 여자의 이런 차이와 관련해서 오래전에 「오빠는 왜 그렇게 생각이 없어?」라는 제목의 칼럼을 썼습니다. 명색이 제가 카피라이터인데 아내는 저보고 늘 왜 그렇게 생각이 없느냐고 타박을 했어요. 제가 웬만하면 저항을 안 하는데 한 번은 굽히지 않고 버텼어요. "그래도 생각하는 게 직업인 사람인데 생각이 없다는 건 너무 한 거 아니냐!"라고 했더니 "생각 없잖아!"라고 짧게 되받아쳐요.

아내가 말하는 생각은 말하자면 이런 것들이에요. 예를 들어 쇼핑을 하러 갑니다. 마음에 드는 머플러를 발견했어요. 저한테 이리 대고 저리 대봐요. 괜찮다고까지 말해요. 그리고 아내는 바로 다른 매장으로 가버려요. 그래서 제가 마음에 드는 거 아니었냐고 묻죠. 그럼 마음에 들었대요. 아니, 그런데 왜 사지 않죠? 저는 쇼핑만 하러 가면 공황장애가 오고 에너지가 뚝 떨어져요. 그래서 빨리 밖으로 나갈 방법만 찾느라, 한 번 보고 마음에 들면 바로 사려고 해요. 반면에 아내는 하나부터 열까지 '생각'해서 '비교'하죠.

관찰력이 좋으신 분들은 아실 텐데 백화점에 가면 남성복과 여성복 매장의 품목 진열이 다릅니다. 여성복 매장의 액세서리는 피팅룸 근처에 있어요. 여자들은 옷을 입어보고 나오면서 액세서리가 그 옷에 어울리는지 아닌지 확인하고 구입을 하죠. 반면 남성복 매장의 남자 액세서리는 계산대 앞에 있어요. 바지를 계산하려고 섰는데 계산대 앞에 벨트가 있어요. 그럼 집어드는 겁니다.

좀 비약해서 대부분의 남자들은 오래된 친구들과 술 먹는 데 서른 단어면 충분합니다. 잘 사냐, 미친놈, 먹자, 마셔, 이런 몇 가지 단어만 반복하면 됩니다. 그런데 여자들이 쓰는 단어는 감히 제가 아는 숫자들로 생각할 수 있을까 싶을 정도입니다. 아내가 전화할 때 보면 40분을 이야기하고 나서 끊을 때 자세한 이야기는 만나서 하자고 해요. 여태 한 이야기는 뭘까 싶죠. 20년 지기들과 단어 서른 개로 대화하는 남자들은 도무지 이해하지 못합니다.

이렇게 남자와 여자가 차이가 나요. 그러니 아내에게 생각이 없다는 소리를 들었던 거죠. 이런 일련의 사건들을 겪고 나서야 '아, 나는 생각이 없구나' 인정하게 됐어요. 그리고 나서 이 칼럼을 썼어요.

「오빠는 왜 그렇게 생각이 없어?」

집사람이 가끔 내게 하는 말이 있다. "오빠는(인간은 습관의 동물이다. 연애 때부터 입에 붙은 말은 쉽게 떨어지지 않는다) 왜 그렇게 생각이 없어?" 명색이 생각으로 먹고 사는 카피라이터 출신의 CD에게 하는 말이다. 하지만 이것은 부정할 수 있는 명제가 아니다. 스카프 하나 사면서 옷장에 있는 모든 스커트와 재킷을 '생각'해봐야 하고, 매치되는 허리띠, 브로치, 목걸이, 귀걸이, 가방, 신발까지 '생각'해봐야 하는데 나에게는 그런 능력이 존재하지 않는다.

남의 집을 방문하면서 "주스나 하나 사가지, 뭐!"라고 말하는 것은 생각이 아니다. "지난 번에 잠깐 그 집에 가보니 물잔은 미카사 크리스탈이었고 로열 달튼 찻잔에 허브티를 내놓고, 평소 옷 입고 다니는 스타일이나 앤티크한 집안 분위기를 '생각'해봤을 때 작고 세련된 도자기 장식 같은 걸 하나 사가는 게 좋겠어, 오빠!" 이게 생각이다. 과연 인류사가 끝나기 전에 남자가 여자만큼 진화할 가능성이 있을까? 나는 불가능하다는 데에 한 표다.

남자들은 과연 생각만 없는 것일까? 한번은 사무실에 손님이 찾아와 친한 여자 후배에게 커피를 두 잔 사다달라고 부탁한 적이 있다. 시간은 오후 다섯 시경이어서 우리는 약간 시장한 상태였고 그렇다고 저녁 식사 전에 뭘 먹기도 애매한 그런 시간. 후배는 커피 두 잔에 부탁하지도 않은 머핀 하나를 같이 사왔다. 머핀 두 개가 아니고 하나. 두 사람이 저녁 식사 입맛을 버리지 않고 급한 허기를 채우기에 딱 알맞은 양인 머핀 한 개. 그리고 그것은 정확하게 그 후배가 '생각'한 것이었다.

"주스나 하나 사가지, 뭐!"에서 '머핀 하나'까지의 거리는 몇 광년일까? 이쯤 되면 '생각'이 '생각'이 맞나 하는 생각이 든다. 이건 '배려' 아닌가?

그렇다면 어떤 경우 "오빠 왜 그렇게 생각이 없어?"는 이렇게 번역될 수 있다. "오빠 왜 그렇게 배려가 없어?" 어쩌면 '생각이 없음'의 다른 말은 '배려가 없음'이고 '배려가 없음'의 다른 말은 '교양이 없음'이고 '교양이 없음'의 다른 말은 '능력이 없음'은 아닐까?

물론, 나도 남자인 입장에서 그래도 우리 인간 사회를 구성하는 열등한 반쪽을 위한 변명이 없는 것은 아니다. 집중력과 추진력. 적어도 이것은 우리의 우등한 반쪽보다 남자들에게 더 자주 보이는 것 같다. (하긴, 집중력과 추진력은 단순 무식이란 동전의 뒷면이기도 하다.)

나는 남자다. 여자들의 '생각'을 부러워하는 남자. 그렇다고 여자가 될 수는 없는 남자. 그렇다면 결론은 중성화되는 것이다. "남자의 장점과 여자의 장점을 함께 갖춘 사람이 되자." 얼마 전 휴대폰에 적어놓은 취중 낙서다.

요즘 길고양이들의 중성화 운동이 한창이다. 길고양이가 되어야 할까?

: 두 번째, 상대를 배려하지 않는다

이처럼 소통하기 위해 가장 먼저 해야 하는 것이 서로 다르다는 것을 인정하는 겁니다. 그리고 그다음에 나와 다른 상대를 배려하는 게 필요합니다. 무슨 이야기냐 하면 같은 말이라도 공간이 다르면 다르게 이해가 됩니다. 그러니 다른 공간 사람들과 대화할 때는 배려가 필요하죠.

제 경험인데, '샤니(SHANY)'라는 브랜드를 아십니까? 어릴 적 즐겨 먹던 빵 브랜드입니다. 지금은 식품전문그룹 SPC로 바뀌었는데, 샤니의 슬로건이 뭐냐면 'We bake goodness' 입니다. '우리는 좋은 것을 굽는다'는 뜻이죠. 소통을 하는 데 아무 문제가 없어 보입니다. 단, 이걸 이해할 수 있는 사람들에 한해서.

어느 날 법성포에 갔다가 터미널에 들렸는데, 터미널 매점 한가운데 위에 커다랗게 'We bake goodness'가 딱 써 있는 거예요. 주위에는 아직도 터미널을 '차부'라고 부르는 주름 가득한 할머니들이 보따리를 들고 앉아서 버스를 기다리고 있는데 'We bake goodness'가 중앙에 써 있는 거죠. 조금 섬뜩했습니다. '아무도 알아들을 수 없는 말이라면 욕일 수도 있는 거 아닌가? 매일 저곳에서 빵을 사먹겠지만 과연 저들에게 'We bake goodness'가 어떤 의미를 가질까?' 하는 생각이 들더군요. 그때 비로소 슬로건이 상황에 따라 이렇게 달라질 수 있구나 생각했어요. 그리고 소통에는 노력이 필요하다는 걸 깨달았죠.

전하려는 메시지를 보편적인 모든 사람을 이해시킬 수 있는 말로 전하는 것이 진짜 소통이라고 생각합니다. 그런데 우리는 소통을 위한 노력을 잘하지 않는 편입니다. 문장을 구성하는 것도 마찬가지입니다. 지하철을 타면 보게 되는 문구가 있어요.

열차 내에서 옆 사람에게 혐오감을 주는 행위는 법에 의해 처벌받게 되는 경우가 있습니다. 고맙습니다.

뭔가 이상하지 않아요? 이건 비문이에요. 주어가 '혐오감을 주는 행위는' 인데 그러면 행위가 처벌을 받는다는 의미가 되는 겁니다. 이 문장을 제 의미대로 고쳐보면 이렇게 되겠죠.

- 옆 사람에게 혐오감을 주는 행위를 하면 (주어 생략에 의해) 처벌을 받게 되는 경우가 있습니다.
- 옆 사람에게 혐오감을 주는 행위는 처벌의 대상이 될 수 있습니다.

한 방송사 대기실에서도 이런 비문을 발견했어요.

다음과 같이 분장실에서 유의할 사항을 아래와 같이 알려드립니다.

어딘가 이상하지 않나요? 이런 문장은 의미를 전달하는 데 효율적이지 않습니다. 아래와 같이 수정을 해야겠죠.

> – 다음과 같이 분장실에서 유의할 사항을 알려드립니다.
> – 분장실에서 유의할 사항을 아래와 같이 알려드립니다.

겨울에 코엑스(COEX)에 갔더니, 남자 화장실에 '동파 방지 관계로 누수함' 이렇게 쓰여 있었어요. 무슨 말인지 한 번에 이해하겠습니까? 동파를 막기 위해 남자 소변기에 물을 틀어놓았으니 잠그지 말라는 뜻입니다. 그런데 코엑스 남자 화장실을 가장 많이 이용하는 10대, 20대 중 몇 명이 그 뜻을 한 번에 명확히 알 수 있을까요? 전하고자 하는 의미가 '잠그면 얼 수 있으니 잠그지 마세요'라면, 단순 명료하게 '잠그지 마세요'라고 표현하는 게 낫다고 봅니다. 좀 더 설명을 하고 싶다면 '물이 어는 것을 막기 위해 물을 틀어놓았으니 잠그지 마세요'라고 해도 되고요. '동파 방지 관계로 누수함'은 쓴 사람의 세계에서 한 치도 벗어나지 않은 말입니다. 읽는 사람에 대한 배려가 없는 것이고, 그래서 소통에 문제가 생기는 겁니다.

: 세 번째, 하고 싶은 말을 제대로 전하지 못한다

마지막으로 자신이 하고 싶은 이야기가 무엇인지 도무지 모른다는 게 문제입니다. 그래놓고 자기 말만 합니다. 한 친구가 있는데, 가끔 동네에서 만나 술 한잔을 하곤 했어요. 그날도 주거니 받거니 소주를 한잔 하는데 이 친구가 문득 자기 친구의 아내 이야기를 꺼냅니다.

"웅현아, 내가 그 친구 집에 갔는데 그 와이프가 끝내준다."
"그래? 뭐가?"
"뭐냐면, 진짜 잘해, 그렇게 잘하는 사람 처음 봤어."
"그래서 뭘 잘하는데?"
"정말 잘해. 깜짝 놀랐어. 끝내줘."
"그러니까 뭐가 끝내주냐고?"

한 30분 정도 그 이유를 집요하게 묻고 나서야 왜 그 사람이 끝내주는지 알게 됐습니다. 친구의 말을 종합해보면, 새벽 한 시에 친구들이 불시에 그 집에 들이닥쳤는데도 그 아내가 술상도 봐주고 남편 친구들이 불편하지 않게 잘 대해줬나 봅니다. 처음부터 생각을 정리해서 자신이 '왜' 그 친구의 아내에게 감동받았는지 설명해줬다면 이 이유를 듣는데 30분이나 걸리지 않았겠죠. 술자리에서 돌아오는 길에 만약 이게 회의였다면 30분은 그냥 죽은 시간이 됐겠구나, 생각했습니다. 이처럼 제대로 소통이 되지 않으면 우리의 시간까지 갉아먹는 결과를 가져올 수 있어요. 조금만 노력하면 불필요한 시간의 낭비를 없앨 수 있는데 말입니다.

그리고 가장 안 좋은 결과로는 싸움이 벌어지죠. 다른 사람의 이야기를 듣지 않고 자기 이야기만 하다 보니 답답해지고 감정적이 되는 겁니다. 그러다 "너 몇 살이야!" "머리에 피도 안 마른 게" "나잇살이나 먹어가지고" 등과 같이 막말이 나오게 되고 감정적인 말싸움으로 번집니다. 정치권에서도 쉽게 볼 수 있는 광경이고, 우리 주변에서도 매일 벌어지는 일입니다.

소통을 위한 자세
: 첫 번째, 다름을 인정하다

자 그렇다면, 이 문제들을 어떻게 뚫고 나아가야 할까요? 우리는 이 문제들을 어떻게 극복할 수 있을까요?

첫 번째 문제는 서로 다르다는 걸 인정하지 않아서 생기는 소통의 난 맥상이었습니다. 어떻게 하면 좋을까요? 역지사지해야 합니다. 역지사 지(易地思之). 다른 사람의 입장에서 생각하고 말하는 게 제일 쉽고 좋은 방법입니다. 그 예로 저와 제 딸 이야기를 해보겠습니다.

대학생이 된 후 완벽하게 어른 대접을 해주고 있는 우리 딸아이와의 경우, 어른이 된 후에도 우리는 별 이야기를 다 합니다. 사람들이 우리 부녀의 대화를 듣고는 아빠와 딸이 그런 이야기까지 해? 라고 할 정도 로요. 생리적인 문제부터 남자친구 이야기까지 친구처럼 서로 주고받 아요. 어려서부터 그랬습니다. 그래서 대부분 딸의 방은 아빠는 출입 금지이기 쉽지만 저는 아직도 출입이 자유롭습니다. 보통 아이들이 중 학교쯤 가면 친구들이 놀러 오거나 생일잔칫날 부모는 절대 방에 못 들 어오게 합니다. 그런데 우리 애는 늘 아빠가 제 방 출입하는 걸 허락했 어요. 초등학교 때도, 중학교 때도, 고등학교 때도 그랬습니다. 다 자란 요즘에 와서 그때 왜 그랬냐고 물어보니까 대답이 아주 간단하더라고 요. "아빠가 있으면 재미있으니까."

자랑 같지만, 아이가 어릴 때부터 저는 제가 더 어른이니까 저보다 어린 아이들이 뭘 좋아하는지에 맞추려고 노력했습니다. 딸아이가 유치원에 다닐 때는 그 나이대의 아이들이 똥 이야기를 좋아하니까 똥 이야기를 해주고, 좀 더 크고 난 후에는 연예인, 남자친구 이야기를 함께 했어요. 물론 방향을 잘못 잡을 수도 있겠지만 그래도 노력해야 합니다.

아이가 지금도 기억에 남는다고 종종 이야기하는 것 중 하나가 있어요. 저는 아이 시험 때면 밤에 아이 옆에 같이 있어줬습니다. 시험 기간에 새벽까지 공부하겠다고 방에 들어가는데, 그게 얼마나 힘든 건지 알거든요. 아마 다들 알 겁니다. 모든 엄마 아빠가 시험기간을 거쳤을 것이고, 그때 자신들도 책상 앞에서 쏟아지는 잠에 내려앉는 눈꺼풀을 어쩌지 못해서 잠들어버리는 바람에 시험을 망쳐 봤잖아요? 그런데 마치 그런 건 모르는 사람들처럼 아이들이 알아서 공부하기를 바랍니다. 저도 제가 책을 펼친 지 30분 만에 잠든 기억이 있습니다. 그래서 아이 옆에서 책을 읽거나 수학문제를 같이 풀면서 함께 시간을 보내준 것이죠. 내 경험에 빗대 아이의 입장을 생각했던 겁니다. 그걸 딸아이가 지금까지 기억하고 이야기해주니 고마운 일이고, 그런 일련의 경험들이 지금 우리 부녀 관계에, 소통에 아주 큰 기여를 했다고 생각합니다.

법륜 스님의 『엄마 수업』이라는 책에 인상적인 내용이 있었는데, 아이들을 야단치지 말고 내 자신이 아이였을 때에 어떻게 했는지 생각해 보라는 것이었습니다. 모든 엄마들은 아이가 1등이 되길 원하고 우등생이 되기를 원하는데 본인은 그랬나요? 엄마 본인은 그러지 못했으면서 왜 아이한테는 강요를 하는 걸까요? 그걸 사랑이라고 말하는데 사랑이 아니에요. 집착일 뿐이죠. 아이 입장이 돼서 봐줘야 해요.

또 그 책에 이런 이야기도 있었습니다. 아이들을 키울 때 내가 자랄 때는 어땠는지 생각해보고 내가 듣고 싶었던 이야기를 아이에게 해주라고요. 거기에 덧붙여서 내가 자랄 때와 아이가 자라는 지금이 다르다는 걸 알라고요. 정말 공감 가는 이야기예요. 내가 자랄 때 안 그랬으니까 너도 그러면 안 된다는 건 사실 말이 안 됩니다. 시대가 달라졌잖아요? 요즘 많은 사람들이 카페에서 공부를 하죠. 어떤 사람들은 그걸 보고 "아니 왜 조용한 집을 놔두고 밖에 나가서 공부를 해? 시끄러운 데서 무슨 공부가 돼?"라는 이야기를 하기도 해요. 저는 그 말을 듣고 머리가 띵해졌어요. 30년 전에 제가 어머니에게 들었던 말과 다르지 않았거든요. 아니, 무슨 노래를 들으면서 공부를 해? 아마 아내도 학창시절에 들었을 거예요. 마찬가지로 싫었을 거고요. 그런데 그 순간에는 역지사지가 안 되는 거죠.

아리스토텔레스의 수사학을 바탕으로 한 커뮤니케이션의 기본은 이겁니다

$$Sender \rightarrow Message \rightarrow Receiver$$

즉, 커뮤니케이션이란 전하는 사람이 던지고 싶은 메시지를 받는 사람에게 주는 것이에요. 그러니 그냥 주는 게 아니라 리시버가 어떤 상태에 있는지에 따라 달라져야 하는 거죠. 그러니까 소통을 위해서는 화살표 방향이 바뀌어야 하는 거예요.

$$Sender \leftarrow Message \leftarrow Receiver$$

이것을 아주 극적으로 실천한 사람이 있는데 바로『잃어버린 시간을 찾아서』를 쓴 프랑스 소설가 마르셀 프루스트예요. 프루스트는 대인공포증이 있었다고 합니다. 사람들한테 따돌림을 당할지 모른다는 공포가 있어서, 본인이 대화할 때 집중했던 것이 하나 있었는데 자신의 머릿속에 있는 걸 이야기하는 게 아니라 상대의 머릿속에 있는 걸 끌어내려고 했대요.

그런데 이것은 소통에 있어서 매우 중요한 포인트입니다. 사람들은 대부분 내가 무슨 말을 하고 싶다는 욕구가 더 강하죠. 상대의 이야기를 잘 듣지 않아요. 그러다 보니까 소통이 어려워집니다. 때문에 우리 사회에서는 의제설정이 가능한 윗사람들만 말하는 풍토가 생겨난 것이고요. 오죽하면 회식을 '사역'이라고 하겠습니까?

대화는 돌게 되어 있습니다. 특히 술자리 대화는 흐르게 되어 있는데, 그 흐름을 막아버리는 게 팀장 혹은 윗것들 아닙니까? 팀장들을 대상으로 하는 어느 강의에서도 인기 있는 팀장이 되고 싶으면 카페나 술집에서 이야기하지 말라고 이야기했어요. 어떻게 해서든 아랫사람들이 편하게 말할 수 있는 분위기를 만들어주는 게 윗사람들이 할 일이에요. 그래야 서로 소통이 되니까. 그러기 위해서는 요즘 영화는 뭐가 재미있니? 어제 드라마는 어땠어? 그래? 그렇구나, 하고 맞장구쳐주는 노력이 필요해요. 그렇게 말이 오고 가면서 서로를 이해하고 막힘 없이 소통이 가능한 사이가 되는 게 아닐까요?

: 두 번째, 문맥을 생각하자

소통을 방해하는 두 번째 문제는 상대에 대한 배려심이 없다는 것이 었습니다. 그것은 문맥의 문제이기도 한데, 같은 말이라도 상대에 따라 문맥이 전혀 달라지기 때문이에요. 문맥을 잘 파악하는 건 지혜이고 센 스입니다. 이 부분에 있어 남자들이 특히 취약하고, 여자들은 매우 뛰 어납니다. 남자들이 상상하지 못할 정도로 뛰어나죠.

「오빠는 왜 그렇게 생각이 없어?」칼럼에서 소개한 후배의 에피소드 도 여자였기 때문에 가능했던 거죠. 아마 남자들은 상사가 커피를 부탁 한 시간이 5시였고, 6시 30분에 식사 예약이 되어 있으니 허기만 살짝 달랠 정도인 머핀 한 개만 사야겠다고 '생각'하지 못할 거예요. 남자의 장점, 물론 있죠. 대부분의 남자들이 가진 하나밖에 안 보는 단순 무식 함, 추진력, 돌파력, 좋습니다. 그런데 여자들처럼 이렇게 문맥을 파악 하는 힘은 덜합니다. 칼럼에도 썼지만, 그래서 저는 나이 들면서 중성 화를 지향하고 있습니다. 남자들의 장점을 놓치고 싶지 않고 여자들의 장점도 갖고 싶어요.

여자들의 장점은 특히 소통을 제대로 하는 데 꼭 필요합니다. 똑같은 이야기를 해서 욕을 먹을 수 있고 똑같은 이야기를 해서 칭찬받을 수 있습니다. 어떤 상황에서 말을 잘못하면 단순히 눈치가 없는 게 아니라 교양이 없는 걸로 비칠 수 있어요. 만날 때 어떤 대화를 나눠야 하는지 에 대해 파악하는 능력, 이것은 눈치가 아니라 교양에 가깝습니다.

고려 성종 때의 외교가이자 문신이었던 서희(徐熙)의 담판 역시 문맥 을 짚을 줄 아는 지혜가 있었기에 가능했어요. 처음부터 요(遼)의 거란 족은 우리를 칠 마음이 없었어요. 송(宋)을 치고 싶었죠. 그런데 송을 칠

때 우리가 움직일까 봐 80만 대군을 몰고 일단 우리나라로 내려온 거예요. 그러니까 요나라 장수 소손녕(蕭遜寧)의 목적은 우리를 치는 게 아니라 송을 정벌할 때 우리의 움직임을 묶어두려는 거였죠. 그래서 대군을 이끌고 내려와 왜 송하고만 친하게 지내냐고 괜한 시비를 걸잖아요. 그때 전체적인 문맥을 제대로 파악한 서희는 너희와 친하고 싶지 않아서가 아니라, 가운데에 여진족이 있어서 그렇다고 답하죠. 그 말을 들은 소손녕은 여진족을 치워주고 서희는 강동 6주를 얻어와요. 서희가 역사 속 협상의 귀재로 알려질 수 있었던 건 문맥을 제대로 파악했기 때문이었어요. 소통의 지혜가 있었던 거죠.

: 세 번째, 생각을 디자인하자

그리고 마지막으로는 자신의 생각을 좀 더 세련되게 전달할 필요가 있습니다. 전하고자 하는 바를 정확하게 전달하는 것은 주술 구조를 제대로 갖추고 문맥을 파악하는 것만으로도 어느 정도 가능합니다. 하지만 '아' 다르고 '어' 다르다는 말처럼 어떻게 말하느냐에 따라 말에 담긴 힘이 달라집니다. 그래서 생각을 디자인할 필요가 있는 것이죠.

사실 우리는 자신의 생각을 정리해서 말하는 훈련이 잘 안 되어 있습니다. 우리 문화가 논쟁의 문화가 아니기 때문인데요. 우리는 사색의 문화인 반면 서양은 논쟁의 문화죠. 서양에서는 초등학교 때부터 토론하고 논쟁합니다. 네 생각을 이야기해봐, 너의 생각은 어때? 끊임없이 묻고 답하죠. 우리는 그런 게 없어요. 하지만 사색의 문화가 몸에 배어 있다 보니 좋은 시나 깊은 사유의 글들은 많죠. 이철수의 '사과가 떨어졌다. 만유인력 때문이란다. 때가 되었기 때문이지' 같은 문장은 사색의 힘이에요. 이런 우리의 장점은 가져가되, 소통을 위해서는 논쟁하는 법을 배울 필요가 있어요. 그런데 어려서부터 그 훈련이 너무 안 되어 있으니까 말이 막히면 감정적으로 멱살부터 잡는 국회의원들이 나타나는 겁니다.

이번 18대 대선 후보 토론으로 말이 많았는데 미국 대통령 후보 토론하는 걸 보면 저러다가 누구 하나 죽겠다 싶을 정도입니다. 면전에서 막말이라 할 정도의 이야기를 해대는데, 그래도 태연스럽게 서로 잘 받아치면서 자기 의견을 말하고 상대방을 이해시키고 설득하려고 해요. 그걸 보면 설득력은 그런 데서 나온다는 것을 알 수 있죠. 생각을 디자인해서 말을 하는 것이 얼마나 큰 영향력을 가지는지에 대해 느꼈던 몇 가지 사례를 말씀드릴게요.

찰스 바클리라는 농구선수를 기억하시나요? 마이클 조던, 매직 존슨 등과 함께 NBA 최고의 황금기였던 90년대를 주름잡았던 선수인데요. 바클리는 근성이 대단한 선수여서 코트의 악동이라는 별명답게 플레이가 매우 거칠었어요. 욕도 많이 먹었죠.

언젠가 NBA 대표팀과 당시 내전이 있던 유고슬라비아가 친선경기를 가졌던 적이 있어요. 당연히 NBA 대표팀이 이기는 게임인데, 그래도 친선경기니까 넘어지면 서로 일으켜주고 공을 놓치면 허허 웃으면서, 반쯤 져주면서 게임을 했죠. 그런데 바클리는 난리를 쳤어요. 욕하고 몸싸움도 격하게 하고 상대 선수를 넘어뜨리는 등 있는 힘을 다해서 싸웠어요. 어디까지나 친선경기였고 그것도 내전을 겪고 있는 나라의 선수들과의 경기였는데 말이죠. 경기가 끝나고 기자가 질문을 했어요.

"당신은 온유함의 미덕을 믿지 않습니까?"

잠깐, 이 질문을 잘 보세요. 이 질문은 디자인된 질문입니다. 이 말은 어떻게 내전을 겪고 있는 나라의 선수에게 그렇게 과격한 플레이를 할 수 있는지 묻는 거죠. 거기에 '너무했다'라는 주관적인 생각을 표현하면서도 그걸 직접적으로 드러내지 않아요. 본인의 생각을 담으면서, 상대의 생각을 묻고 있어요. 언어는 생각의 집이에요.

어쨌든 그 게임을 본 저는 기자의 질문을 듣고 공감했어요. '그래, 좀 봐주지. 자식이 정도 없이. 내전으로 힘든 선수들인데 쯧쯧.' 그런데 바클리는 0.1초의 고민도 없이 대답합니다. 그리고 저도 0.1초의 고민도 없이 바클리를 이해하게 됐습니다.

"온유함이 세계 평화를 가져올지 모르지만 나에게 공을 가져오진 않습니다."

맞잖아요? 바클리는 프로 선수입니다. 프로 선수로서 바클리는 최선을 다한 겁니다. 저는 바클리의 말에 바로 설득당했어요.

비슷한 예로 또 미국 서부에 있는 어떤 여고 농구팀이 장애인 학교 농구팀이랑 게임을 했는데 100대 0으로 이겼습니다. 게임이 끝나고 너무 가혹했다는 이유로 코치가 잘렸고요. 이틀 후에 한 신문에서 코치를 인터뷰했죠. 코치가 답하길, "상대를 존중했기에 최선을 다했다"라고 했어요. 장애인 팀이라고 봐주는 게 능사는 아니죠. 자칫하면 그게 도리어 예의가 아닐 수 있는 거니까요. 배려가 아니라 값싼 동정이라 느껴질 수 있으니까요. 그들도 어디까지나 스포츠맨으로 임하는 경기이기

찰스 바클리

에 코치의 선택은 '존중'의 차원이었던 겁니다. 이 모든 의미를 풀어서 설명하지 않아도 저 짧은 문장 하나로 다 말하고 있습니다. 이게 디자인된 말의 힘입니다. 그리고 이런 말이 사람의 마음을 움직입니다.

바클리의 말과 같은 경험은 우리도 했습니다. 2002년 한일월드컵 때 히딩크 감독이 했던 말, 기억하실 겁니다.

"나는 아직도 배가 고프다."

감히 말하는데 우리나라 방송에서 나온 운동선수 인터뷰 중 가장 멋진 말이었어요. 아직까지 우리 기억 속에 선명하게 남아 있잖아요? 그즈음 아직 선수였던 홍명보 감독도 한마디 했었죠.

"국민이 무엇을 원하고 있건 우리는 그것보다 더 큰 꿈을 꾸고 있다."

참 멋지지 않습니까? 잘하긴 했지만 만족스럽지는 않다, 우리는 남은 경기도 이기고 싶다. 이렇게 직접적으로 전달하는 말보다 훨씬 가슴을 치고 마음을 움직이죠. 머릿속에 오래 남기도 하고요. 어릴 때부터 훈련받지는 않았지만 지금부터라도 이렇게 하고자 하는 말을 디자인하는 연습을 해야 합니다. 언어의 집을 지어줘야 해요.

아카데미 시상식을 볼 때 가장 큰 즐거움은 그들의 수상소감을 듣는 겁니다. 시간을 내지 못해 놓치면 다음 날 신문 기사라도 꼭 읽습니다. 2012년 시상식에서는 작품상, 남우주연상, 감독상 등 다섯 개의 상을 탄 영화 〈아티스트〉가 단연 화제였죠. 1920년대 할리우드를 배경으로 한 흑백 무성영화인 〈아티스트〉는 그 시절을 대표하는 감독 빌리 와일더의 영향을 많이 받았는데, 감독 미셀 하자나비시우스는 수상소감에서 이렇게 말했어요. "세 사람에게 감사를 전하고 싶네요. 빌리 와일더, 빌리 와일더, 그리고 빌리 와일더에게요. 감사합니다"라고.

같은 자리에서 〈철의 여인〉으로 여우주연상을 탄 메릴 스트립도 "마지막에 이야기하면 음악에 묻힐 수 있으니 먼저 남편에게 감사하고 싶어요"라고 유머를 던졌습니다. 우리는 어떤가요? 아직은 좀 뻔하죠? 꿈만 같고, 영광이고, 감사하고 말이죠.

오래 전에 영화 〈타이타닉〉이 아카데미 시상식을 휩쓸었을 때, 함께 노미네이트 됐던 영화가 〈이보다 더 좋을 순 없다〉였습니다. 그 영화의 주인공이 잭 니콜슨이었는데 마지막에 남우주연상으로 호명됐어요. 그때 잭 니콜슨이 수상을 위해 무대에 오르자마자 "조금 전까지 나는 침몰하는 줄 알았다"고 말해서 모두들 웃음을 터뜨리고 환호했던 기억이 납니다. 숀 펜이 〈밀크〉라는 영화로 상을 받았을 때도, 그 영화가 동성애자인 상원의원 이야기인데 로버트 드니로가 시상을 하면서 "〈밀크〉 봤나요? 나는 그 영화를 보기 전까지 숀 펜이 이성애자인 줄 알았어요"라며 아주 위트 있게 이야기하죠. 객석의 모든 사람들이 웃음을 터뜨렸고요. 디자인된 말들은 이렇게 여러 사람을 즐겁게 해주기도 합니다.

이 외에 또 제가 설득된 예를 하나 더 말씀드려볼게요. 저는 솔직히 조지 부시를 싫어합니다. 그 사람은 40대까지 알코올 중독이었고, 대통령이 되기 전까지 미국을 나가본 적이 없는 믿기지 않는 이력이 있어요. 게다가 그런 그가 세계 최강대국의 대통령이 됐다는 사실은 놀라울 정도죠. 그가 대통령 후보로 나왔을 때 음주운전 경력까지 밝혀졌어요. 기자가 당신의 음주운전 경력에 대해 어떻게 생각하느냐고 묻자 조지 부시가 이렇게 대답했어요.

"나는 실수를 통해 많은 것을 배웠다."

우리나라 정치인들의 대답과 전혀 다르죠? 다들 기억이 안 난다고 하잖아요? 그런데 조지 부시의 답을 듣고, 저는 고개를 끄덕였습니다. '그래, 나도 젊은 시절에 실수 많이 했지' 하면서요. 조지 부시가 대통령 후보였던 선거 때에 기막힌 문장이 또 하나 나왔는데 앨 고어와 조지 부시를 두고 어떤 상원 의원이 누군가는 양보해야 한다는 말을 이렇게 표현했어요.

"지금 우리에게 필요한 것은 한 사람의 대통령과 한 사람의 영웅이다."

이런 말들이 설득력이 있는 겁니다. 무턱대고, 네가 양보해, 하는 것보다 훨씬 마음을 움직이죠.

극단적으로 실제 우리나라 정치인의 발언을 한번 비교해볼게요. 문민정부 시절 국무총리를 지낸 분의 일화가 있어요. 그때 국무총리는 원래 정치하던 사람이 아니었고, 적십자 총재였는데 정치에 뛰어들어 국무총리가 된 사람이에요. 그런데 이분이 기자들과의 술자리에서 "정치판은 개판인데 왜 들어가려고 하느냐더라. 그런데 내가 들어와 보니 진짜 개판이더라"라는 요지의 이야기를 했어요. 다음 날 야당에서 난리가 났죠. 정치판을 개판으로 인식하고 있는 국무총리와 국론을 논할 수 없다고 입장표명을 했어요.

그런데 그 비슷한 시기에 중앙일보 '말말말' 섹션에는 이런 글이 실렸습니다. 지금도 또렷하게 기억이 나는데요. 런던의 리빙스턴이라는 시장이 임기 중에 그만뒀대요. 그래서 기자가 이유를 물었죠. 사실 이 사람이 그만뒀던 이유도 정치판이 엉망이었기 때문이에요. 단, 리빙스턴 시장은 그 누구처럼 이야기하지 않았습니다. 이렇게 말했죠.

"정치는 어른들이 할 짓이 아닙니다."

자, '정치판은 개판이다'와 '정치는 어른들이 할 짓이 아니다' 어떤 것이 더 강하게 다가오나요? 후자가 더 그렇지 않습니까? 그러니 내 생각을 좀 더 설득력 있게 전달하기 위해서는 생각을 디자인해서 말을 하는 게 좋습니다.

"길거리에 개가 짖는다고 대꾸하지 않는다."

이 말은 프랑스에서 있었던 이슬람교와 기독교 간의 갈등 상황 중에 이슬람을 비하하는 풍자 만화를 본 이슬람교구장이 한 말이에요. 어떤 대응보다 힘 있는 한마디죠.

이 세 가지를 정리하면 소통을 하기 위해서는 상대의 입장에서 어떻게 생각할지 먼저 헤아릴 줄 아는 마음이 있어야 하고, 자신의 생각을 잘 정리해 말함과 동시에 어떤 문맥으로 해야 하는지를 잘 파악해야 한다는 거예요. 여기에 힘을 싣기 위해서 지혜롭게, 생각을 디자인을 해서 말하는 것이 필요하고요.
세상에 공짜는 없습니다. 소통을 잘하고 싶으면 몇 가지 노력이 필요합니다. 역지사지, 문맥파악, 생각을 정리해서 말하는 습관. 스케치를 할 때 형태를 잡는 데생이 필요하듯 자기 생각을 데생해야 해요. 연습하고 말을 만들어보는 거죠. 하고 싶은 말이 있다면 정리해보고, 어떻게 하면 내 말이 설득력이 있을까 다시 한번 생각해봐야 합니다.

소통은 사회생활은 물론이고 개인생활에서도 매우 큰 차이를 만들어 내요. 행복한 가정생활을 하고 싶다면 소통을 잘 하면 돼요. 아무것도 아닌 일로 오해가 생겨서 싸움이 되고 일이 꼬여 걷잡을 수 없게 되면 그냥 포기해버리는 집들은 대부분 소통이 안 되는 집이에요.

소통을 잘할 수 있는 방법

마지막으로 소통을 잘 할 수 있는 훈련 방법 두 가지만 말씀드려보겠습니다. 할리우드에는 '7 Words Rule'이라는 게 있습니다. 하도 많은 사람들이 시나리오를 가져오니까, 투자를 받고 싶으면 시나리오를 단 일곱 단어로 설명해보라는 건데, '결혼을 했는데 마누라가 조폭이네? 조폭 마누라' 이런 식으로 그림이 확 그려지도록 설명하라는 이야기입니다.

이 훈련을 한번 해보세요. 많은 도움이 될 겁니다. 미국에서 대학원에 다닐 때 논문을 쓰기 전에 우선 자신이 하고 싶은 말을 딱 한 줄로 정리하라고 합니다. 그리고 그걸 세 개의 패러그래프로 써보고, 그걸 다시 챕터 별로 나눠서 논문을 만들죠. 예외는 없습니다. 그러니까 이렇게 보면 됩니다. 내가 말하고 싶은 게 일곱 단어로 정리되지 않는 건 아직 내 생각이 정리되지 않았다는 겁니다.

저는 이걸 광고 만들 때 적용합니다. 처음에는 어렵죠. 다 괜찮은 것 같고, 30분 정도 설명해서 이해시킬 수 있어요. 그러면 계속해서 딱 한마디로 알아들을 수 있는 지점까지 좁혀나가죠. 이걸 생각의 증류라고 해요. 현상은 복잡하고 본질은 단순한 이 세상에서 단순한 본질을 뽑아내기 위한 증류 과정은 제가 일하는 업계에서 필수적인 일입니다. 여러분도 이런 생각의 증류 과정을 거쳐 이야기를 해보세요. 소통의 폭이 훨씬 넓어질 겁니다.

두 번째 말씀드릴 '맥킨지 룰'도 7 Words Rule과 비슷한데요. 만약에 내가 타고 있는 엘리베이터에 CEO가 탔는데 엘리베이터는 15초 후에 문이 열린다고 가정하고, 거기서 내 생각을 어떻게 말해서 CEO의 마음을 끌 것인지 생각해보라는 거죠. 예를 들어 "왜 지역별로 마케팅을 하십니까? 타깃별로 하십시오. 자세한 건 나중에 보고드리겠습니다"라고 하면 누가 궁금해하지 않겠느냐는 겁니다. 그러니까 그냥 둥글게 가지고 있는 생각을 정리하는 습관을 기르고, 그걸 더 정리해서 증류해보세요. 거기에서 나오는 엑기스가 나의 진짜 생각이 되어줄 겁니다.

여러분은 누구나 세상을 변화시킬 수 있습니다. 사람의 마음을 움직이는 힘을 가졌어요. 소통을 잘하면 주변 사람들이 움직입니다.

공책을 가져가 찢는 친구를 만들어주셔서 감사합니다.
열일곱에 피 말리는 전쟁을 경험하게 해주셔서 감사합니다.
스스로 뛰어내리게 하사 경쟁자를 물리쳐주셔서 감사합니다.

– 중앙일보, 「고1의 반란… '내신전쟁' 불만 폭발」 (2005.05.03, 백일현, 이충형 기자) 중에서

한 고등학생이 내신제에 대해서 쓴 글입니다. 저는 한 번 읽고 아직까지 기억하게 됐어요. 사람을 움직이고 싶고, 주변에 영향을 주고 싶고, 세상을 변화시키고 싶다면, 다른 사람을 먼저 배려하고 생각을 정리하는 습관을 가지세요. 그렇다면 여러분의 소통은 아주 성공적일 겁니다.

人生

8강

인생

급한 물에 떠내려가다 닿은 곳에
싹 틔우는 땅버들 씨앗처럼

人生 정의 마음의 길.
　　뒤켠을 끼다 흘러진거하기도.
첫번째. 불안감을 인정하자.
　　정체성.
형성제 - 외롭다 마라.
힘든 게 인생이다. 맘광히
영혼을 가져라.
마음대로 인지마 하지 마라.
이유진. 씨울. 남줄
　　여지를 둬라. 자유의 연볼.
그일에도 불과하고.
　　묵타 노리는 있는거다.
④ 세가지 Tip.
① 혼자 있다 나눌거을.
　　나 지금 보내는 시간
　　가치는 올라 준비해라

② 미련 두이다.
②으로하지 말라. 기죽지 마라.
물걸으로 늘날 수 있다
묵묵히 本質을 目標가지고

③ 요령과 정답
있는 땅 찾지 마라.
용지 만들 의지가
그리치면 미트. 즉시 X.
현재 차둥. 위고 1 후회는 떠달을

헤엄위이 ;B들 인생은…
최선을 다한 인생을 그걸로
어음답다 My Way 가자
人生 정리하자 ; 묵묵히 자기
꾸중하며 방추내상 홀겁이드라기
낫상 칙극하며 긴관기 도전하며
건제를 가치 줘세. 見하며
지혜 줘세 2등하며 人生 약자 Way

제가 가장 무서워하는 단어는 '인생'입니다. 마지막 시간의 주제로 '인생'을 선택하면서 고민도 많았습니다. 하지만 앞서 인생을 살면서 중요한 일곱 가지를 이야기한 마당에, 그보다 큰 틀인 인생 이야기를 빼놓을 수 없다고 생각했습니다. 물론 지금까지 이야기한 일곱 가지는 어디까지나 주관적인 선택이기 때문에 다른 기준과는 다를 수 있습니다. 그러나 적어도 25년의 사회 생활을 하고 스무 살 아이의 아버지이자 중년이 된 제가 느끼기에 그 일곱 가지는 삶의 큰 비중을 차지하는 단어들이었습니다.

인생은 자존, 본질, 고전, 견(見), 현재, 권위, 소통이라는 싱싱한 재료를 담아낼 아름다운 그릇입니다. 이 아름다운 '인생'이란 단어가 무서우리만큼 크게 느껴지는 이유는 이 단어 하나만 잘 알아도 세상을 제대로 살아나갈 수 있기 때문일 겁니다. 오늘은 재료들을 어떻게 이 그릇 안에 잘 정리해둘지에 대해 이야기해볼까 합니다. 정리하는 자리이니만큼 그간 했던 이야기의 반복도 있을 겁니다. 양해바랍니다.

소설가 박범신의 소설『촐라체』에 '길고 위험이 넘치는 전인미답(前人未踏)의 시간을 살아가야 할 이제 겨우 스물한 살의 청년'이라는 구절이 나옵니다. 전인미답, 아무도 걷지 않은 길을 걸어가야 하는 위험한 나이 20대. 그리고 30대, 40대, 50대, 아마도 인생은 젊음이건 아니건 누구에게나 전인미답이 아닐까요? 그래서 늘 위험하지만 또 한편으로 매 순간이 흥미진진한 것이 바로 인생일 겁니다.

『촐라체』속의 그 문장을 보고 참 재미있는 표현이라는 생각이 들었습니다. 누가 내 인생을 살아봤겠어요? 비슷한 인생을 살아본 사람이 있을 수 있죠. 하지만 모든 인생은 다 다릅니다. 이 모퉁이를 돌면 다음 모퉁이에 무엇이 있을지 아무도 모르죠. 그래서 산다는 건 더 흥미롭고 즐거운 일입니다. 만약 모퉁이 다음에 기다릴 것을 알고 살아간다면 다람쥐 쳇바퀴와 다를 게 없는 삶일 거예요.

고미숙의『나의 운명 사용설명서』에는 '지구는 탄생 이래 단 한 번도 동일한 날씨를 반복하지 않았다'는 문장이 있습니다. 봄에는 꽃이 피고, 여름은 눈부시고, 가을은 낙엽이 떨어지고, 겨울이면 눈이 오는 사계절을 매년 겪지만 그 어느 하루도 같은 날씨인 적은 없었습니다. 무심했지만 어떻게 보면 당연한 일이에요. 우리의 인생도 마찬가지입니다. 그러니 우리는 우리 앞에 마땅히 주어진 전인미답의 길을 즐겨야 합니다. 어차피 가야 할 길 앞에서 망설이거나 두려워하기보다 설렘과 기대를 품고 걸어야 해요. 우리는 몇 번 단추를 누르면 어떻게 반응을 하고 어떤 결과가 딱 떨어지게 나오는 기계가 아니니까요.

그렇다면 전인미답의 길을 즐기기 위한 가장 중요한 것이 무엇이냐? 우리들의 불완전함을 받아들이고 실수에 휘둘리지 않는 겁니다. 전인 미답이잖아요. 실수할 수밖에 없습니다. 가본 적이 없는 길입니다. 가본 적이 없는데 어떻게 완벽하겠습니까? 길을 걸으며 당연히 실수할 겁니다. 그러니 실수를 못 견디고 좌절하지 마세요. 나만 그런 게 아닙니다. 우리는 때로 바깥에 선을 그려놓고 누구 누구의 인생은 이런 실수가 없을 것 같다고 생각하겠지만 전혀 아니에요. 전인미답, 누구의 인생이나 같습니다.

　2년 전쯤 회사 후배가 결혼을 하면서 제게 주례를 부탁했습니다. 주례를 선다는 게 부담스럽기도 하고 부끄럽기도 해서, 만약 내가 한다면 파워포인트로 주례를 서야 할 테니 하지 않는 게 좋겠다고 완곡히 거절을 했습니다. 영 쑥스러웠지만 제 이야기를 듣고 싶다는 마음은 이해하는지라 거절하고도 마음이 편치 않았습니다. 그런데 이 후배가 그렇다면 영상 메시지라도 한마디 남겨달라면서 카메라를 들고 오더군요. 주례도 거절했는데 영상 메시지에는 의미 있는 말을 남겨줘야 할 것 같아서 고민 끝에 이렇게 이야기했습니다.

　"결혼 축하한다. 살다 보면 좋은 순간도 있고, 결혼식 자리에서 이렇게 말해 미안하지만 힘든 순간도 분명히 있을 거다. 좋을 때에는 세상에 우리만큼 행복한 사람이 없다고 생각해. 우리만큼 축복받은 사람들은 없을 거라고 생각해. 로맨틱한 밤에는 이렇게 로맨틱한 밤을 경험한 사람은 인류에 우리 외에는 없을 거라고 생각하고. 그리고 매우 힘든 날이 오면, 힘들겠지만 나만 힘든 게 아니라는 걸 생각해. 아무리 화목한 가정이라도 살면서 불가피하게 싸움은 벌어지고, 갈등은 일어난

다. 그런 것들을 거치지 않는 삶은 없어. 그러니 그때는 세상에 힘들지 않은 사람이 없다고 생각해봐. 이게 지혜롭게 결혼 생활을 하는 방법이다."

결혼 생활에 빗대 이야기했지만, 저는 이것이 꼭 가져가야 할 인생의 태도라고 생각합니다. 좋은 일이 있을 때는 행운이라고 굳게 믿고, 나쁜 일이 있거나 실수를 저지르면 병가지상사를 떠올리세요. 못된 성격 때문에 그런지 모르겠지만 연초 인사 중에서 "좋은 일만 생기세요"라는 말을 들으면 좀 어이가 없어요. 어떻게 좋은 일만 생길 수 있겠어요? 그런 일은 없습니다.

하나 더 덧붙이자면 내 뜻대로 되지 않는 것에 너무 안달복달하지 않는 태도가 정말 지혜로운 삶의 태도입니다. 대부분의 사람들은 실패는 나와 먼 이야기고, 불행은 절대 일어나지 않을 것이며 내 뜻대로 일이 풀릴 거라는 전제 하에 삶을 살아갑니다. 그래서 실패하면 하늘이 무너진 듯 좌절하죠. 아쉽게도 인생은 종종 내 뜻과 무관하게 실패와 마주하게 됩니다. 때문에 실패를 기본 조건으로 놓고 살면 작은 일에 흔들리지 않습니다.

같은 맥락에서 하나 더 이야기하겠습니다. 몇 해 전 촬영 차 고창 선운산에 가게 됐습니다. 그 길에 부지런을 좀 떨어서 아침 일찍 절에 다녀왔는데 산책 삼아 들른 절에서 커다란 돌에 새겨진 보석 같은 글귀를 발견했습니다. '보왕삼매론'이라는 건데요. 첫 줄에 새겨진 '몸에 병이 없기를 바라지 마라'라는 문장은 단번에 제 마음을 사로잡았습니다. 정말 좋지 않습니까? 우선 쭉 한 번 소개하겠습니다.

보왕삼매론

○ 몸에 병이 없기를 바라지 말라.

○ 세상살이에 곤란(困難)함이 없기를 바라지 말라.

○ 공부하는데 마음에 장애(障碍)없기를 바라지 말라.

○ 수행(修行)하는 데 마(魔)없기를 바라지 말라.

○ 일을 꾀하되 쉽게 되기를 바라지 말라.

○ 친구를 사귀되 내가 이롭기를 바라지 말라.

○ 남이 내 뜻대로 순종(順從)해 주기를 바라지 말라.

○ 공덕을 베풀려면 과보(果報)를 바라지 말라.

○ 이익을 분(分)에 넘치게 바라지 말라.

○ 억울함을 당해서 밝히려고 하지 말라.

② 도솔산 선운사

몸에 병이 없기를 바라지 마라.

세상살이에 곤란함이 없기를 바라지 마라.

공부하는 데 마음에 장애가 없기를 바라지 마라.

수행하는 데 마가 없기를 바라지 마라.

일을 꾀하되 쉽게 되기를 바라지 마라.

친구를 사귀되 내가 이롭기를 바라지 마라.

남이 내 뜻대로 순종해주기를 바라지 마라.

공덕을 베풀려면 과보를 바라지 마라.

이익을 분에 넘치게 바라지 마라.

억울함을 당해서 밝히려고 하지 마라.

－〈보왕삼매론〉

중국 명나라 때 묘협이라는 스님이 불자들에게 어려운 일을 당했을 때 어떻게 마음을 써야 할지에 대해 쓴 글이라고 합니다. 그걸 바위에 새겨 놓은 것이었는데 그걸 읽고 저의 뇌는 이른 아침부터 도끼에 찍힌 듯 강렬한 충격을 받았습니다. 첫 줄에서 그냥 손을 들었어요. 몸에 병이 없기를 바라지 마라, 바로 그 대목에서요.

우리는 몸에 병이 없기를 바랍니다. 그러나 그건 불가능한 일입니다. 우리 몸은 유기체인데, 바이러스가 들어오고 나가고 나이 먹으면서 노화가 오는데 어떻게 병이 없겠습니까? 그런데 대부분 병이 없는 상태를 자기의 기본값으로 잡아놔요. 병뿐만 아니라 모든 것을 자기가 정한 대로 설정해놓고 생각합니다. 하지만 인생은 마음대로 만질 수 있는 게 아니죠. 점잖은 어른들이 들으면 쓸데없이 젊은 사람들 패기 꺾는 이야기한다고 노여워할지 모르겠지만 먼저 그 시절을 살아낸 사람으로 고백하는데 인생은 절대 내 마음대로 주무를 수 없습니다.

오늘도 잘 알고 지내는 어느 기업의 임원을 만나고 왔는데, 황당한 일이 있다면서 말을 꺼내더라고요. 그 분이 그 회사로 옮긴 게 석 달 전이었어요. 회사를 옮기면서 1년 정도 새로운 회사에서 경험을 쌓고 그 후에 개인적으로 일을 시작해야겠다는 계획을 세웠답니다. 그런데 옮긴 지 석 달 만에 회사가 인수됐대요. 생각지도 못한 일이 벌어진 거죠. 1년의 경험을 쌓아 자기의 일을 해보겠다는 계획이 물거품이 된 거예요. 일이 이렇게 진행될 줄 어떻게 알았겠어요.

한번 생각해봅시다. 이 상황에서 그 사람이 잘못한 게 있나요? 실수한 게 있습니까? 그러리라 예측하지 못한 게 실수였나요? 아닙니다. 그건 누구도 할 수 없는 거예요. 어쩔 수 없는 겁니다. 사회 경험이 풍부한 임원이라도 예측하고 계획해서 피해갈 수 없어요.

인생은 개인의 노력과 재능이라는 씨줄과, 시대의 흐름과 시대정신 그리고 운이라는 날줄이 합쳐서 직조됩니다. 하지만 많은 사람들이 나의 의지와 노력과 재능이라는 씨줄만 놓고 미래를 기다립니다. 치고 들어오는 날줄의 모양새는 생각도 안 하고 말입니다. 이 씨줄과 날줄의 비유는 박완서의 『그 많던 싱아는 누가 다 먹었을까』에서 힌트를 얻었습니다. 작가의 자전적 이야기인 이 책에 나온 '인생을 내 마음대로 계획하기에는 시대라는 날줄이 너무나 험했다'라는 문장을 읽고 맞는 말이라고 생각했습니다.

이야기가 나온 김에 박완서의 예를 들어볼게요. 그는 서울대를 나왔는데 여자들이 고등학교에 가기도 힘들던 시절이었으니, 숙명여고를 거쳐 서울대에 입학한 여학생인 그는 그야말로 엘리트였죠. 그런데 대학 생활을 즐겨보기도 전에 전쟁이 나요. 대학 생활에 대한 모든 기대와 꿈은 폭격과 함께 산산이 부서지죠. 의지와 상관 없이 인생에 전쟁이라는 험한 날줄을 만나게 된 겁니다.

거기에 비하면 지금 우리 시대는 매우 순한 날줄을 가지고 있습니다. 물론 저의 세대보다 여러분의 날줄이 더 험하다는 건 인정합니다. 생각해보면 제 세대가 제일 운이 좋았던 것 같습니다. 팽창 일로의 사회 분위기에서 막 사회 생활을 시작했으니까요. 기회가 널려 있었죠. 우리 때는 정치적으로 힘들긴 했지만 그래도 대학을 졸업하고 꿈을 펼치자는 희망이 있었습니다. 그런데 요즘 젊은이들에게 대학 졸업은 공포라는 이야기를 듣고 참 슬펐습니다. 팽창하던 사회가 정체기를 맞으면서 오는 어쩔 수 없는 현상이라고 하기엔 만만치 않은 날줄의 시대지요.

제발 꿈 좀 꾸지 마라

그런데 말입니다. 태어나는 시점을 우리 마음대로 선택할 수는 없지 않습니까? 그럴 수 있다면 누구나 내 씨줄을 잘 받쳐줄 만한 날줄의 시대를 골라 태어나겠죠. 그러나 그럴 수 없으니 험하면 험한 대로 순하면 순한 대로 날줄을 잡고 튼튼하게 직조해야 합니다.

이런 삶의 태도를 직업정신으로 가장 잘 보여주는 사람들이 바로 요리사입니다. 어느 저녁 만찬에 초대된 적이 있었습니다. 만찬의 요리사는 프랑스인이었고, 메뉴는 프랑스식 코스 요리였어요. 전채 요리가 나오고 메인 요리가 나왔는데, 리조또 위에 살짝 구운 제주 은갈치를 올린 것이었습니다. 아주 맛있더군요. 식사를 하면서 들으니, 프랑스 요리사가 메뉴를 구상하기 전 한국의 식재료 중 좋은 것이 무엇인지 물었답니다. 고미숙 씨의 『나의 운명 사용설명서』에 '훌륭한 요리사는 자기 눈앞에 있는 신선한 재료가 무엇인지 먼저 본다'는 이야기가 나오는데 그와 같은 맥락인 것이죠.

그 요리사가 '나는 완벽한 프랑스 요리를 하는 사람이니까 프랑스의 식재료를 공수해 요리하겠다'라고 했다면 냉동 푸아그라나 에스카르고를 맛봐야 했을 겁니다. 그러나 그 요리사는 이 땅에 있는 좋은 것을 먼저 찾았던 거죠. 눈앞에 있는 무기가 무엇이냐를 잘 고른 겁니다.

『나의 운명 사용설명서』를 예로 든 김에 고미숙 씨를 통해 알게 된 것을 한 가지 더 언급하자면, 프랑스 인류학자 레비 스트로스가 원주민을 연구해서 인류학 논문을 썼는데 흥미로운 사실을 발견했답니다. 원주민들에게 있어 가장 존경받는 사람을 관찰해보니, 힘이 세거나 모든 걸 가진 사람이 아니라 어떤 문제에 맞닥뜨렸을 때 가지고 있는 것들을 잘 활용해서 문제를 해결한 사람이 가장 존경받았답니다. 첫 강의, 〈자존〉에서 이야기한, 물살을 이용했던 이순신 같은 사람들 말입니다.

그러니까 요즘처럼 날줄이 호락호락하지 않은 시절에는 이런 삶의 태도가 절실합니다. '급한 물에 떠내려가다 닿은 곳에 싹 틔우는 땅버들 씨앗, 그렇게 시작해보거라'라는 고은 시인의 시처럼 살아야 합니다. 땅버들 씨앗도 자기가 닿으면 좋을 장소가 있었을 겁니다. 양지바르고, 촉촉한 땅 위에 닿고 싶었겠죠. 하지만 바람에 흔들리고 물살에 떠밀려 미처 다 가지 못하고 나뭇가지가 마구 엉켜 있는 바위 틈에 툭 하고 닿아버린 겁니다. 그렇다고 해서 땅버들 씨앗이 원하던 곳으로 다시 갈 수 있습니까? 아니지요. 땅버들 씨앗은 묵묵히 그 자리에 뿌리를 내릴 겁니다. 우리도 그렇게 시작해야 할 필요가 있습니다. 1년 동안 회사 잘

다니고 경험을 쌓아 창업해야지, 했지만 그 전에 회사가 팔렸어요. 어쩌겠습니까? 그게 인생인 것을요.

첫 시간 〈자존〉 강의에서 언급했던 정혜윤 PD의 『여행, 혹은 여행처럼』의 인터뷰에 강판권 씨 외에도 주목할 만한 이가 있습니다. 송규봉 씨인데요. 송규봉 씨는 지도제작자로 현재 연세대 지리 정보 시스템 분석가입니다. 이분의 삶을 조금 따라가보겠습니다.

벌교에서 태어난 송규봉 씨의 어린 시절 목표는 순천고등학교에 진학하는 것이었습니다. 비평준화 지역인 순천에서 최고의 고등학교로 꼽히는 순천고등학교는 매년 졸업생의 대부분이 명문대에 진학하는 명문고등학교입니다. 하지만 바람과 달리 그는 순천고등학교에 떨어져 다른 학교에 진학합니다. 그러나 순천고 애들이랑 다른 교복을 입고 버스를 타는 게 지옥 같아서 재수를 결심하고, 기어코 순천고등학교 학생이 됩니다. 성취감은 있었죠. 하지만 아주 잠깐이었어요. 인생이 만만하지 않다는 걸 알려주듯, 또 다시 의도하지 않은 길로 가버립니다. 이번엔 대학 진학이 마음대로 되지 않았죠. 서울대에 가고 싶었으나 경희대 국문과에 진학을 하게 됩니다.

국문과에 진학해 잠시 시인을 꿈꾸기도 했지만, 사회의 불합리한 것들이 눈에 들어오면서 운동권 학생이 됩니다. 좋은 시인이 되려면 사회가 바뀌어야 한다고 생각했고, 마침내 총학생회장이 돼 전국대학생대표자협의회 소속으로 학생운동을 하다가 감옥에 들어갑니다. 의정부에서 실형을 살다가 김영삼 대통령 취임 특사로 나온 그는 더는 불안하게 살기 싫어서 운동권으로 돌아가지 않습니다. 그리고 공부를 더 해야겠는데 시골집에 돈을 달라고 할 수 없어서 대학교 식당에서 설거지 아르바이트를 하면서 돈을 모으죠. 후배들이 와서 그래도 한때 총학생회장이었던 사람이 뭐 하냐며 설득했지만 지나온 길로 돌아가지 않습니다. 우여곡절 끝에 졸업을 하고, 어쩌면 당연하게도 취업이 잘 안 됩니다.

그런데 故 김근태 의원의 캠프에서 당시 보습학원에서 국어교사를 하고 있던 그에게 손을 내밉니다. 인생의 큰 기회였죠. 하지만 그 기회가 인생을 변화시키긴 못합니다. 김근태 의원을 도와주다가 외교통상부 소속이 됐는데 영어를 못 하니까 아무것도 안 되더라는 겁니다. 이후 송규봉은 기회를 잡지 못한 것이 영어 때문인 것 같기도 하고, 마침 유학을 떠난 친구들도 있고 해서 모아놓은 돈을 전부 털어서 유학을 떠납니다.

그리고 어느 날, "그런데 드디어 2학기 때 그렇게 고대하던 세상을 보는 새로운 창을 발견했습니다"라는 그의 말처럼 '지리정보시스템'이라는 수업을 들으면서 자신과 가장 잘 맞는 학문을 찾아냅니다. 그래서 공부를 시작하고 결국 전문가가 됩니다. 지금은 미국 펜실베이니아 주립대학 석사과정을 거쳐 필라델피아 주립대학에서 공부를 계속하면서 연세대에서 GI정보분석에 기초한 기획과 정보분석에 대한 강의를 하고 있습니다.

모든 인생은 의도대로 되지 않습니다. 그러니 남들의 영웅담은 내 이야기가 될 수 없죠. 우리는 어린 시절부터 수많은 영웅담을 들어왔습니다. 다른 사람들의 이야기를 들으면 나도 영웅이 되고 싶어지죠. 그런데 그 영웅이 쓴 무기는 이미 없거나, 내가 가질 수 없는 것이에요. 이순신은 물살을 보고 그것을 이용해 한산대첩에서 승리합니다. 그런데 우리에게도 이순신의 물살이 나타날까요? 인생은 똑같이 반복되지 않습니다. 모든 인생은 전인미답이에요. 인생에 공짜는 없어요. 하지만 어떤 인생이든 어떤 형태가 될지 모르지만 반드시 기회가 찾아옵니다. 그러니 이들처럼 내가 가진 것을 들여다보고 잡아야 합니다. 그리고 준비해야 하죠. 나만 가질 수 있는 무기 하나쯤 마련해놓는 것, 거기서 인생의 승부가 갈리는 겁니다.

집 앞 화단에 대추나무 한 그루가 있습니다. 대추나무는 꽤 크게 자라기 때문에 평평한 땅에서 커야 좋아요. 그런데 그만 씨앗이 좁은 땅에 떨어져버렸습니다. 이제 어쩔까요? 좁은 땅에 떨어져버렸다고 대추나무가 자살하겠습니까? 아닙니다. 최선을 다해 올라옵니다. 삐뚤어지고 꺾이겠지만 거기에서 최선을 다해 살 겁니다. 원하는 방향으로 인생이 흘러가지 않는다고 해서 지레 포기하고 주저앉을 필요 없습니다. 씨줄과 날줄이 함께 직조되는 게 인생이니까요. 꿈과 희망의 여지를 남겨둘 줄 알아야 합니다.

그런 의미에서 저는 고등학생이나 대학생들이 광고인이 꿈이라고 말하면 일단 그 꿈을 접으라고 합니다. 특히 고등학생의 경우면 너무 빨리 직업을 좁게 정했다고 말해줍니다. 냉정하게 말해서 그 고등학생이 광고인이 될 확률이 얼마나 될까요? 고등학생 때부터 광고에 목숨 걸겠다고 다짐했다가 광고인이 안 될 경우 밀려오는 좌절감은 어쩔 겁니까? 인생은 마음대로 주무를 수 없는 것이니 스트라이크존을 넓혀놔야 합니다.

제 경우를 예로 들면, 저는 '신문 기자 괜찮고, 잡지 편집자 괜찮고, 책 만드는 사람 괜찮고, 내가 재능이 있다면 시나 소설을 써도 좋겠고, 르포라이터 괜찮고, 구성 작가 괜찮고, 영화 시나리오를 쓰거나 감독도 좋고, 게임 프로그램을 짜도 괜찮겠네?'였습니다. 그 안에 광고도 포함돼 있었고요. 물론 우선순위가 분명하게 있었고, 순위에 따라 차례차례 도전했죠. 배재고등학교 신문사 편집장을 한 것을 계기로 신방과에 들어갔고 대학교에 다닐 때도 교내 신문사 편집장을 했습니다. 10년 넘게 신문만 생각했고, 신문 기자가 꿈의 최우선 순위였습니다. 하지만 안 됐죠. 그때는 많이 아쉬웠지만 돌이켜보니 오히려 잘 된 일이었어요. 시대의 흐름이 많이 달라져서 광고인의 삶이 나쁘지 않은 시대가 되었으니까요.

모든 인생이 최선만을 선택할 수 없습니다. 저는 대학도, 직업도 차선, 차차선의 선택을 한 사람입니다. 인생의 선택들이 주로 그랬습니다. 그런데 여러분, 최선의 선택을 했다고 해서 그 인생이 성공한 인생이라고 누가 보장할 수 있습니까? 때로는 차선에서 최선을 건져내는 삶이 더 행복할 수도 있습니다. 저는 차선에서 최선을 다하는 삶을 살았고, 지금의 삶에 만족하고 있습니다.

"기필(期必)을 버려라"라는 이야기를 들은 적이 있습니다. 살면서 늘 기필코 이루어내라는 말만 들어본 제게 기필을 버리라는 말은 정말 신선한 충격이었습니다. 그래요, 인생은 기필코 되는 게 아닙니다. 뭔가를 이루려 하지 말고 흘러가세요.

최근엔 젊은 사람들에게 '꿈 꾸지 말라'는 강의를 합니다. 제발 꿈 좀 꾸지 말라는 게 강의의 주요 포인트예요. 우리 제발 꿈꾸지 말고 삽시다. 꾸려면 오늘 하루를 어떻게 잘 살지, 그런 작은 꿈을 꾸면서 삽시다. 교수가 되고 말 테야, 큰 사람이 될 거야, 꼭 대기업에 취직해 임원이 되겠어, 연봉 3억을 받겠어, 이런 꿈 좀 꾸지 말고 말입니다.

영화평론가 이동진 씨는 자신의 책 『밤은 책이다』에서 "하루하루는 성실하게 살고 싶고, 인생 전체는 되는 대로 살고 싶다"는 말을 했습니다. 이건 말 그대로 지혜입니다. 맞습니다. 하루하루 성실하게 살고, 인생은 되는 대로 살아야 합니다. 성실하게 산 하루하루의 결과가 인생이 되는 겁니다. 꿈 꾸지 말라고 해서, 날줄이 험할 수 있다고 해서 그냥 놀고 먹으라는 이야기가 아닙니다. 중간중간 말씀드렸듯 무엇이 본질적인 것인지, 고전이 왜 중요한지, 발견하는 것이 왜 필요한지를 생각하며 지혜롭게 하루하루를 쌓아나가야 합니다. 이렇게 하루하루를 꽉 채워 살다가 돌아보면 펼쳐져 있는 게 인생이지, 단 하나의 목표를 이루기 위해 하루하루를 허술하게 보내는 건 의미가 없습니다.

물론 인생의 목표를 세우고 그걸 이뤄내 성공한 사람들도 많습니다. 하지만 문제는 하루하루를 성실하게 산 사람들보다 행복하지 않을 확률이 높다는 거죠. 기계처럼 목표를 이루고 다음 발걸음을 못 내딛는 사람들이 많아요. 요즘 하루가 멀다고 터져나오는 검사들의 문제, 의사들의 문제, 재벌 회장님들의 문제, 어떻습니까? 목표치를 달성하는 것과 행복은 별개입니다.

목표를 세우고 이루지 못하더라도, 그럼에도 불구하고 행복하게 살 수 있습니다. 나의 그 많은 단점에도 불구하고, 떨어지는 외모에도 불구하고, 표현할 줄 모르는 유머 감각에도 불구하고, 양지바른 땅에 씨앗이 닿지 않았음에도 불구하고, 나는 나라는 자존을 가지고 나의 장점을 실현해 나간다면 말이죠.

여러분은 모두 뇌관이 발견되지 않은 폭탄이고, 뇌관은 바깥이 아닌 바로 나 자신에게 있습니다. 이걸 믿으세요. 모든 사람은 때가 되면 엄청난 화력으로 터질 만큼 커다란 잠재력을 가지고 있습니다.

인생을 잘 살아갈 수 있는 세 가지 팁

마지막 시간이니 제 딸에게 알려준 인생의 세 가지 팁을 말씀드리겠습니다. 전인미답의 인생이지만 이걸 알고 간다면 적어도 조금은 수월하지 않을까 해서 아이가 자랄 때 늘 해주던 이야기들인데요, 우선 첫째, 인생에 공짜 없습니다.

어느 인터뷰에서 기자가 딸아이에게 아빠한테 들은 많은 이야기 중에 어떤 게 제일 기억에 남느냐고 물으니까 이 '인생에 공짜는 없다'를 말하더군요. 말 그대로 인생에 공짜는 없습니다. 본질에 대한 강의에서 나폴레옹 이야기를 했었죠. '지금 내가 겪고 있는 불행은 언젠가 내가 잘못 보낸 시간의 결과다.' 이걸 믿어야 할 것 같습니다. 왜 하루하루 성실하게 살아야 하느냐? 이 하루하루가 쌓여서 언젠가 내 인생으로 돌아오기 때문입니다. 지금 내가 잘 보낸 시간은 긍정으로 돌아오고, 지금 잘못 보낸 시간은 부정으로 돌아온다는 걸 염두에 두고 하루하루를 살아야 합니다.

그런데 하루하루 성실하게 살면서 한 가지 함정에 빠지지 말아야 할 것이, 나는 성실하게 잘 살고 있는데 아무도 나를 도와주지 않고 기회도 나를 비켜간다고 생각하는 것입니다.

不患人之不己知 患其無能也

불환인지불기지 환기무능야. 『논어』에 나오는 말입니다. 남이 나를 알아주지 않는다고 걱정하지 말고, 내가 능력이 없음을 걱정하라는 뜻입니다. 기회는 옵니다. 제가 보장합니다. 이런 단어 잘 쓰지 않는데 자신 있게 말할 수 있는 이유는 사실이기 때문입니다. 저뿐만 아니라 많은 사람들이 수많은 책 속에서 그렇게 이야기할 겁니다. 인생의 기회는 옵니다. 반드시 올 것이고, 준비된 사람이라면 그걸 잡을 겁니다.

저도 여러 번의 기회가 왔었습니다. 그리고 몇 가지 기회를 놓쳤죠. 처음 취업할 때 도전했던 신문 기자, 방송국 PD가 될 수 있는 기회는 준비가 덜 돼서 놓쳤습니다. 그리고 이 일을 하면서도 놓친 기회들이 몇 됩니다. 그중에서 광고 국제 무대에서 뛸 기회를 놓친 기억이 납니다.

이건 지금 생각해도 다른 여지 없이 준비가 부족해서 놓친 기회인데, 유학을 다녀온 뒤 2000년에 아시아퍼시픽 광고제 심사에 나갔습니다. 2002년에 칸 광고제 심사를 했고요. 그 광고제들을 통해 외국의 광고인 친구들을 많이 사귀었는데 어느 날 영어 강연을 해달라는 요청을 받았습니다. 영어가 능숙하지 못한데 내 영어로도 괜찮느냐고 물으니, 강연 요청을 한 친구가 자기가 보기엔 아무 문제가 없다고 해서 일을 진행했습니다.

말레이시아에서 하는 강연이었고, 청중이 4백 명 정도 있었습니다. 강연은 무척 성공적이었어요. 저 외에도 세 명의 연사가 더 있었는데 강의가 끝나고 제 앞에만 사인 줄이 길게 설 정도였죠. 기회를 잡은 듯했습니다. 그리고 또 다시 기회가 왔습니다. 이번엔 일본인 친구가 칸에 와서 강연을 해달라는 요청을 해왔어요. 칸은 말하자면 광고의 메카입니다. 세계 무대에 안착할 수 있는 기회가 될 일이었던 것이죠. 그런데 그곳에서의 강연은 반응이 썩 좋지 않았습니다. 한마디로 별로였어요. 이유는 두 가지였는데, 하나는 영어였고 또 하나는 제가 던지는 콘텐츠의 문제였습니다. 광고를 만드는 사람의 강연이니 광고를 보여줘야 하는데, 한국에서 광고를 보여주면서 하는 강연은 힘들지 않게 할 수 있습니다. 영상을 보여주면 다 공감하니까요. 그들과 소통하려면 국제적으로 공감되는 무언가가 있어야 했어요. 말하자면 유머 감각이 뛰어나다거나 세계적인 상을 받았다든가 하는 식의 공감대가 있어야 하는데 그런 게 없었죠. 그 강연을 그럭저럭 마쳤고, 다음에 또 한 번의 연락이 와서 인도에서 강연을 했지만 그걸로 끝이었습니다. 기회를 놓친 거죠. 만약 영어가 유창했고, 내가 만든 광고가 광고제에서 상을 받았다면, 혹은 공감할 수 있는 유머가 있었다면 세계 광고 무대에서 일하는 다른 인생이 펼쳐졌을 겁니다. 그러나 기회는 사라졌죠.

영어도 마찬가지입니다. 제가 유학을 떠난 건 30대 중반이었습니다. 영어가 편하지 않은 아내와 여섯 살 난 딸과 함께 떠난 거죠. 유학생활을 하면서 영어 실력을 키우려면 수업이 끝나고 친구들과 함께 어울려야 합니다. 그런데 그때 제 조건은 그럴 수 없었어요. 만약 20대 후반이나 30대 초반에 혼자 가서 맨해튼에 머물렀으면 지금보다는 훨씬 나은 영어를 구사할 수 있었을 겁니다. 외국인 친구들과 많은 시간을 보내면서 영어에 좀 더 익숙해질 수 있었을 테니까요. 그러나 그때 저는 아내와 딸이 있는 가장이었고, 친구들과 어울려 영어 실력을 키우기보다 가정을 선택했습니다.

그럼 이번에는 기회를 잡은 경우를 말씀드려볼까요? 그 기회들을 놓친 후 회사를 옮겼을 때 다시 기회가 왔습니다. 그건 놓치지 않았어요. 한국에서 광고를 만드는 것에 대한 준비는 잘 되어 있었으니까요. 2005년도에 아홉 개의 프레젠테이션에서 아홉 개를 모두 따냈습니다. 그때 나온 캠페인이 사람들이 아직도 기억하는 것들입니다. '사람을 향합니다' '생활의 중심' '정말이지 놀라운 이야기' '네이버 캠페인' 등 그때 나온 것들이죠. 그 기회는 놓치지 않았습니다.

살아가다 보면 기회는 분명히 옵니다. 믿으세요. 그러니까 한탄하지 말고 준비해놓으세요. 그러면 빛을 발할 때가 옵니다. 몇몇 젊은이들이 취직을 기회로 보는데 취직은 기회가 아닙니다. 앞서 이야기한 임원의 경우처럼 취직은 기회가 될 수도 있고 위기가 될 수도 있습니다. 기회는 그런 것이 아니죠. 불환인지불기지 환기무능야(不患人之不己知 患其無能也), 내가 준비만 잘하고 있다면 남들이 알아줍니다. 인생은 공짜가 없으니까요.

두 번째, 인생은 마라톤입니다. 이 이야기는 딸아이가 중학생 때 해줬던 건데, 성적은 상위권이었지만 1등은 아니었던 딸아이가 어느 날 좌절하는 겁니다. 늘 1등을 하는 친구가 있는데, 자기는 아무리 열심히 해도 그 친구만큼 잘하지 못한다는 거예요. 그래서 딸아이에게 이야기해줬죠.

"너는 42.195킬로미터를 달려야 하는 게임을 하고 있지 100미터 달리기를 하는 게 아니야. 네가 지금 열다섯인데 그럼 몇 킬로미터 지점을 달린다고 생각해? 이제 5킬로미터 정도일 텐데 거기서 그 친구가 너를 앞서간다고 해서 승부가 끝난 건 아니지. 그러니까 평상심을 잃지 말고 기죽지 말고 네가 할 수 있는 걸 해. 더 달리다 보면 네가 앞서가는 레이스가 올지도 모르고, 다시 뒤처질 수도 있고 그러다 앞서 달릴 수도 있어. 그게 마라톤이야. 한 번 이겼다고 자만하지 말고 한 번 졌다고 기죽지 마. 마라톤은 완주만으로도 충분히 아름다울 수 있어."

권위에 대해 강의하면서 말했던 문턱증후군 때문에 우리는 너무 인

생을 전력질주하려고 하죠. 어느 대학에 가고 어느 직업을 가지면 경주에서 앞선다고 생각해요. 그런데 그게 아니잖아요? 그런다고 해서 그 인생이 전부 행복하지는 않잖아요. 인생은 그렇게 쉬운 게임이 아니에요. 그러니까 일희일비하지 말았으면 좋겠어요.

90년대 중반 농구 붐이 일었을 때, 연세대와 고려대의 게임은 정말 볼 만했어요. 그런데 그때 보면 늘 고려대가 1, 2점 차로 져요. 78대 76, 64대 61 이런 식으로 아쉽게 패하죠. 저는 그걸 미시적 우연이고 거시적 필연이라고 보는데 우리 인생사가 거시적 필연이잖아요? 기회가 오는 건 거시적 필연이에요. 나보다 잘난 것도 없는 것 같은데 저 친구 잘 나가네, 이것은 미시적 우연이고 내가 실력을 키워 분명히 만나게 되는 기회는 거시적 필연이에요.

그런데 그렇다 한들 매번 그렇게 지니까 얼마나 억울해요. 현주엽 선수가 1학년 때쯤인 것 같은데, 어느 경기에서 또 그렇게 아쉽게 패하고 선배들이 다 코트에 누워서 울었어요. 어떤 선수는 농구대를 붙잡고 울더라고요. 그런데 현주엽 선수가 선배들 어깨를 툭툭 치면서 위로를 하는데 참 멋져 보였어요. 졌다고 해서 세상이 끝난 것처럼 슬퍼할 필요는 없어요. 마라톤이니까요.

우린 언제든지 이길 수 있다. 우린 언제든지 질 수 있다.

경쟁 프레젠테이션에서 진 날 팀원들에게 늘 하는 이야기입니다. 우리는 언제든지 이길 수 있고, 또 우리는 언제든지 질 수 있습니다. 물론 이렇게 생각하는 게 쉽지 않다는 거 압니다. 이기면 다시는 지지 않을 것 같죠. 한 세 번 정도 이기면 우리 팀은 지는 팀이 아니라고 생각해요. 오만한 생각이죠. 반대로 세 번 정도 지면 열패감에 휘둘려서 뭘 해도 안 된다고 생각하게 됩니다. 어렵지만 늘 잊지 말아야 해요. 언제든지 이기고, 또 질 수 있다는 사실을.

인생이라는 마라톤을 달릴 때는 일희일비하며 흔들리지 말고 묵묵히 내가 생각하는 본질이 무엇인지, 내 안에는 실력이 있다는 자존을 가지고 'Be Yourself' 하는 게 제일 잘 사는 방법인 것 같아요.

그리고 마지막, 인생에 정답은 없습니다. 이 말은 딸아이한테는 물론 후배들한테도 자주 하는 이야기입니다. 언제부터인가 후배들이 찾아와서 인생의 선택에 대해 묻습니다. 그런데 제가 어떻게 알겠어요. 각자의 사정에 맞는 선택이 있겠죠. 하지만 일단 이야기를 들어줍니다. 그러면서 살펴보면 대부분 자기 마음속에 답이 있고, 그 이야길 해주기를 기대해요. 이런 저런 대화를 나누면서 상대가 진짜 원하는 답이 뭔지 알게 되면 그 답에 힘을 실어주고, 밀어붙여 줍니다. 제가 할 수 있는 일은 거기까지죠.

많은 후배들이, 학생들이, 젊은이들이 정답을 찾고 있는 것 같습니다. 하지만 인생에 정답은 없습니다. 말씀드렸죠. 인생은 전인미답이잖아요. 어찌 알겠어요. 그 사람과 결혼해서 행복할지 아닐지 아무도 모릅니다. 답을 찾지 마세요. 모든 선택에는 정답과 오답이 공존합니다. 지혜로운 사람들은 선택한 다음에 그걸 정답으로 만들어내는 것이고, 어리석은 사람들은 그걸 선택하고 후회하면서 오답으로 만들죠. 후회는 또 다른 잘못의 시작일 뿐이라는 걸 잊고 말입니다.

다시 한번 이야기하지만 인생에 정답은 없습니다. 다만 정답으로 만들어가는 과정만 있을 뿐입니다. 그러니까 어떤 문제에 직면했을 때 우선 판단을 잘해야 합니다. 자신이 할 수 있는 가장 현명한 판단을 신중하게 하고 그 다음에 셔터를 내리세요. 그 셔터는 열 수 있는 문이 아니고 벽이라고 생각해야 합니다. 광고인이 되고 3년 후쯤 차차선의 선택이 아쉬워서 이직을 생각했다가 잘 되지 않았어요. 그 이후로 저는 셔터를 내렸어요. 옆을 보지 않았죠. 그리고 내가 할 수 있는 최선을 다해 광고인으로 살았습니다.

몇 년 전 회사에서 열린 송년의 밤에서 사람들과 '광고가 아니면 어쩔 뻔했어?'에 걸맞을 만한 사람을 뽑아봤어요. 제가 2위를 했습니다. 1위 자리를 내준 사람은 재미있게도 1년 차 친구였어요. 그래서 이게 칭찬이냐 욕이냐 하면서 깔깔댔던 기억이 납니다. 그날 밤 집에 돌아가서 집사람에게 그 이야기를 했더니 집사람이 말하기를, "아마 당신은 다른 직업을 선택했어도 똑같은 소리를 들었을 걸?" 그러더군요. 그 이야기를 듣고 나니 나처럼 사는 게, 즉 선택하지 않은 답은 이미 내 답이 아니라고 생각하고 사는 것이 맞다 라는 확신이 들었습니다. '답은 여기 있다. 아니면 없다'가 아니라 '답은 여기 없다. 어쩌면 저기에 있다'라고 생각하는 순간 약해지기 때문입니다.

그리고 딸을 가진 아빠 입장에서 여자분들께 한 말씀 더 드리면 뭔가를 자기 것으로 만들기 위해 가끔은 한심하고 열등하기 짝이 없는 남자들에게 눈 딱 감고 밀고 나가는 힘을 배웠으면 합니다. 어느 모로 보나 우등한 여자들보다 열등한 남자들이 잘하는 한 가지가 바로 그겁니다. 그런데 그런 단순하고 무식하게 밀고 나가는 것이 때로는 깊이를 만들어주고 한 걸음 더 나아가게 하는 힘이 되어줍니다. 정답, 오답에 대한 강박을 갖지 말고, 바보처럼 단순하게, 내 판단을 믿고 가길 바랍니다.

여러분, 우리 되는 대로 삽시다. 되는 대로 살되, 인생에는 공짜가 없으니 본질적으로 중요한 게 무엇인지를 살피고, 질 때 지더라도 언제든 이길 수 있다고 생각하면서, 모든 답이 정답이니 아무거나 선택하는 게 아니라 최선을 다해 현명한 판단을 내리면서, 그것을 옳게 만들면서 삽시다. 이 세 가지가 딸에게 늘 해줬던, 선배로서 후배들에게 들려주고 싶은, 인생을 조금 더 지혜롭게 살 수 있는 팁이었습니다.

모든 인생은 제대로만 된다면 모두 하나의 소설감이다.

헤밍웨이의 말입니다. 모든 인생은 다 이야깃거리가 있고, 모두 한 편의 영화입니다. 그러니까 내 인생이 헤밍웨이의 삶보다 별로라고 생각하지 말자고요. 헤밍웨이의 인생도 멋지지만 내 인생도 멋져요. 〈My Way〉 노래 가사처럼 후회도 약간 있겠죠. 하지만 말할 정도는 아닐 겁니다. Regrets, I've had a few But then again, too few to mention. 최선을 다했다면 후회하지 말아야죠. 최선을 다한 인생이 아름다운 것이지 아름다운 인생이 따로 있는 건 아닌 것 같아요.

그리고 한 가지, 됫을 이야기할 때에도 말했듯 인생을 살면서 무엇보다 행복을 가장 우선으로 두었으면 좋겠습니다. 두렵기도 하고 흥미진진하기도 한 삶을 살아내면서 먼저 행복을 추구했으면 합니다. 그러기 위해서는 자존이 필요하고 보는 힘이 필요하겠죠.

행복은 풀과 같습니다. 풀은 사방천지에 다 있어요. 행복도 그렇고요. 풀은 생명력이 무척 강합니다. 행복도 마찬가지죠. 긍정적인 풀의 생명력 덕분에 우리가 살아갈 수 있듯 어떤 조건에서도 행복을 찾아낸다면 살아가는 게 그렇게 힘들지 않을 겁니다. 최근에 읽은 책이라 자꾸 반복하게 되는데 고미숙 씨의 책 속에서 이런 구절도 발견했습니다.

'해방을 향해 달려가는 것이 아니라 자신이 선 그 자리를 해방의 공간으로 전환시키는 것'

여기에서 '해방'을 '행복'으로 바꿔보세요. 행복을 향해 달려가는 것이 아니라 내가 선 이 자리를 행복의 공간으로 전환시키는 여러분이 되길 바랍니다.

묵묵히 자기를 존중하면서, 클래식을 궁금해 하면서, 본질을 추구하고 권위에 도전하고, 현재를 가치 있게 여기고, 깊이 봐가면서, 지혜롭게 소통하면서 각자의 전인미답의 길을 가자.

이게 제가 여러분께 드리고 싶었던 인생을 대하는 자세에 대한 모든 것이었습니다. 마음이 움직이셨나요? 그렇다면 이제 자신을 믿고 씩씩하게 또 행복하게 자신의 인생 길을 걸어가시길 바랍니다.

여덟 단어
ⓒ 박웅현 2013

1판   1쇄   2013년 5월 20일
1판 100쇄   2015년 11월 17일

지은이   · 박웅현
펴낸이   김정순
책임편집   김수진
구성   이재영
디자인   김진영
마케팅   김보미 임정진 전선경

펴낸곳   (주)북하우스 퍼블리셔스
출판등록   1997년 9월 23일 제406-2003-055호

주소   04043 서울시 마포구 양화로 12길 16-9 (서교동) 북앤드빌딩
전자우편   editor@bookhouse.co.kr
홈페이지   www.bookhouse.co.kr
전화번호   02-3144-3123
팩스   02-3144-3121

ISBN 978-89-5605-653-1 03810

이 도서의 국립중앙도서관 출판도서목록(CIP)은 e-CIP 홈페이지(http://www.nl.go.kr/cip.php)에서
이용하실 수 있습니다.(CIP2013005723)

"모든 선택에는 정답과 오답이 공존합니다.
바보처럼 단순하게, 자신의 판단을 믿고 가길 바랍니다.
답은 여기에 있습니다. 아니면 없습니다."